POMPOAR

A arte de amar

Conforme Novo Acordo Ortográfico

Stella Alves

POMPOAR
A arte de amar

Conforme Novo Acordo Ortográfico

© 2017, Madras Editora Ltda.

Editor:
Wagner Veneziani Costa

Produção e Capa:
Equipe Técnica Madras

Copidesque:
Elaine Garcia

Revisão:
Alessandra Miranda de Sá
Ana Cristina Garcia
Cristina Lorenço
Arlete Genari

CIP-BRASIL. CATALOGAÇÃO-NA-FONTE
SINDICATO NACIONAL DOS EDITORES DE LIVROS, RJ

A482p
9.ed.
Alves, Stella, 1965-
Pompoar : a arte de amar / Stela Alves. - 9.ed. - São Paulo : Madras, 2017.
il.
Inclui bibliografia
ISBN 978-85-370-0083-0
1. Relações sexuais. 2. Relações homem-mulher. 3. Comportamento sexual. I. Título.

07-1176.   CDD: 613.96
           CDU: 613.88
04.04.07   13.04.07   001191

Proibida a reprodução total ou parcial desta obra, de qualquer forma ou por qualquer meio eletrônico, mecânico, inclusive por meio de processos xerográficos, sem a permissão expressa do editor (Lei nº 9.610, de 19.2.98).

Todos os direitos desta edição reservados pela

MADRAS EDITORA LTDA.
Rua Paulo Gonçalves, 88 – Santana
CEP: 02403-020 – São Paulo/SP
Caixa Postal: 12299 – CEP: 02013-970 – SP
Tel.: (11) 2281-5555 – Fax: (11) 2959-3090
www.madras.com.br

POMPOAR

AGRADECIMENTOS

A gradeço a Deus a oportunidade de poder passar esta técnica maravilhosa para todas as mulheres e com isso contribuir para que elas possam realizar alguns de seus sonhos.

A uma pessoa por quem tenho um enorme respeito, carinho e admiração, a quem devo muito, obrigada, meu grande amigo Mario.

Meus dois grandes amores: Eduardo e Alexandre, filhos maravilhosos que Deus me deu. Estão sempre presentes, apoiando e acreditando em tudo na minha vida. Antes de filhos, são meus amigos. Obrigada por vocês existirem.

Agradeço à Madras Editora e toda sua equipe, seres especiais e muito iluminados. Obrigada a todos pelo carinho que sempre dedicaram à minha pessoa e ao meu trabalho.

Meu amor!!! Grande homem e excelente amigo, agradeço tudo o que fez e faz por mim. Nessa grande jornada chamada vida você está presente, direcionando-me para o melhor caminho a seguir, encorajando, incentivando, acreditando e respeitando meu trabalho!! Obrigada por você existir!

Agradeço aos irmãos Fabio e Milton Cisotto, grandes profissionais e meus amigos, pela dedicação, pelo carinho e apoio que me proporcionam.

Maura (mãe) e Andréia (irmã), seres incríveis, caminhando sempre juntas, lado a lado comigo, em todas as horas. Obrigada por tudo!

Eduardo, Rodrigo, Andreia, Leticia, Ritinha, Eleuza e toda a Equipe da Editoração Eletrônica, excelentes profissionais, meus companheiros de trabalho. Com certeza, foi Deus quem colocou vocês em minha vida, seres maravilhosos, especiais e grandes amigos. Obrigada por tudo. A todos os meus amigos, que sempre me apoiaram e me deram forças. Prefiro não destacar nomes, pois são muitos e tenho certeza de que quando estiverem lendo saberão quem são. Obrigada por vocês fazerem parte da minha vida.

Agradeço a toda a imprensa (jornal, TV, rádio, revista) que sempre divulgou meu trabalho com muito respeito e carinho.

Pai, meu herói!!!

Realmente um grande homem, partiu desta vida deixando saudades; deixou também alguns

Agradecimentos

ensinamentos: honestidade, integridade, humildade... isto ficará para sempre. Obrigada, meu Deus, por me dar a oportunidade de ter tido um pai maravilhoso. Obrigada, Sr. Alexandre, por ter sido um grande pai. Ele me deixou um livro com vários poemas, escritos por ele desde que nasci. Todos em minha homenagem. Gostaria de deixar registrado aqui um deles, cujo nome é:

CONSELHO

Há de amor uma janela
De ódio, um grande portão
A luz é sempre mais bela
Do que a negra escuridão
Nunca esqueça, Maristela
De abrir teu coração
Faça dele uma capela
Ama a Deus com devoção
Serás a prenda mais bela
Não verás a solidão
Relembre em todos os momentos
Este conselho, querida,
Que os Anjos do Firmamento
Te manterão protegida

                        Alexandre Rodrigues Alves

ÍNDICE

Prefácio	13
Introdução	15
Conhecendo a Autora	17
Origem do Pompoar	23

Capítulo 1
Autoestima e Autoconfiança 27
   Amar a si próprio 29
   Cuidando do corpo, da mente e da alma 30
   Tempo para você 31
   Trabalho 33
   Expressar 33
   Pessoas que lhe dão valor 35
   Agressão 35

Lazer 37

Capítulo 2
Para Refletir 39

Capítulo 3
Amor 45

Capítulo 4
Relacionamentos e "Relacionamentos" 49
   Mente, Audição, Olhar, Beijo, Toque 53
   Homens e mulheres 55
   Diálogos 58

Capítulo 5
A Você, Homem 61
   Relato 61

Capítulo 6
Atleta do Amor 67
   Sexy e sensual 67
   Homem e mulher 68
   Beleza 68
   Sedução 69

Capítulo 7
Pompoar — A Arte de Amar 71
   Guia prático do Pompoar 74
   Importância dos exercícios e frequência com
   que devem ser feitos 74
   Exercícios do Pompoar 76
   Contrações 76
   Força (Intensidade) 77
   Saúde, Higiene e Precaução 78
   Ben-wa e vibrador 81

Índice

    Treinamento com ben-wa (bolinhas) 81
    Vibrador 84
    Treinamento com o vibrador... 85
        Acompanhando seu desenvolvimento 86
        Fazendo teste 86
        Posições e local para treinamento.............................. 87
        Movimentos 88
    Comentários finais 89
    Exercícios de manutenção... 90
    Meu recado 90
    Termos e técnicas da Pompoarista 90
    Importante 92
    Curiosidade 93

CAPÍTULO 8
MEDOS E DÚVIDAS 95

CAPÍTULO 9
DEPOIMENTOS 97
    Pompoar na saúde 97
    Usando a criatividade com o pompoar.............................. 98
    Superando com o Pompoar 100

CAPÍTULO 10
DICAS SENSUAIS PARA ELE E PARA ELA 101
    Dez Dicas para a mulher fazer no homem 101
    Dez Dicas para o homem fazer na mulher 104
    Depoimentos médicos... 107

BIBLIOGRAFIA CIENTÍFICA 111
BIBLIOGRAFIA: OBRAS IMPORTANTES 113
    Obras de Referência 114
    Pompoarismo na Literatura e na Arte 114

POMPOAR

PREFÁCIO

Num mundo conturbado, no qual o ser humano tenta agarrar-se ao carinho, ao afeto e ao amor, inerentes a sua vontade, o estresse, criado pelo novo mundo, nos conduz a um distanciamento cada vez maior do prazer.

Como se tivesse asas, em um voo ascendente, sempre objetiva, a autora cuida com determinação da autoestima da mulher, ponto alto da grande dinâmica da vida.

Stella vem, por meio de seus cursos, ajudando a mulher a dar liberdade aos seus sonhos, resgatando nos dias de hoje o prazer muitas vezes esquecido.

José Augusto R. Lima

POMPOAR

INTRODUÇÃO

---◆◆◆---

Esta obra tem como objetivo realizar sonhos de mulheres e homens, pois a técnica do Pompoar, além de ser muito saudável, proporciona imenso prazer a ambos.

Aqui, vocês encontrarão tudo sobre essa técnica formidável, que está sendo a verdadeira revolução sexual deste século. Minha intenção não é falar somente sobre sexo e sim sobre um todo, para que cheguem a ele de uma maneira bem saudável e muito prazerosa.

Desejo que, ao terminar de ler, você, mulher, se torne grande pompoarista, e você, homem, a incentive com a prática dos exercícios, seguindo algumas dicas que darei. Afinal... você também será o grande beneficiado com o Pompoar!!!

POMPOAR

CONHECENDO A AUTORA

Algumas pessoas ficam curiosas em saber como aprendi esta fantástica técnica. Então, resolvi esclarecer essas dúvidas, contando um pouco da minha vida.

Eu era uma adolescente cheia de sonhos como a maioria: sonhava com o príncipe encantado!!! Amor!!! Sexo!!! Mas, em relação à sexualidade, confesso que não entendia absolutamente nada. As poucas informações que tinha vinham das colegas de escola ou de algumas revistas, mas era quase que totalmente leiga no assunto. Ficava apenas imaginando: "sexo!!! Deve ser maravilhoso!!!". Só que não tinha coragem de experimentar, pois fui criada, assim como a maioria das mulheres da minha época, acreditando que sexo só podia acontecer após o

casamento. Hoje em dia, tudo mudou, mas naquele tempo era realmente um tabu. Aos 16 anos aconteceu, sem nenhuma programação. Quando eu menos esperava, estava em uma cama com meu namorado. Nossa!!! Foi horrível, senti apenas dor!!! Prazer?! Absolutamente nada. Confesso que não gostei: vivia sonhando com o tal e muito comentado "sexo", e era aquilo?! Dor e nada de prazer?! Fiquei extremamente decepcionada, e então fingi que tinha sentido muito prazer, pois queria ser "boa de cama" e, na minha "cabeça", achava que era assim mesmo. Nessa minha primeira relação, fiquei grávida. Imaginem só: 16 anos. Sempre havia passado para meus pais uma imagem de menina "certinha", "supercabeça" e que jamais iria decepcioná-los. Fiquei superconfusa, contei para o meu namorado e disse que, se ele não me amasse realmente, eu diria aos meus pais que não sabia quem era o pai; mas ele disse que me amava muito e que iríamos nos casar!!!

Em maio engravidei, em junho completei 17 anos e em julho já estava casada. Até então sem nenhuma experiência, apenas sonhos.

Deixei os estudos, pois meu marido disse que eu não precisava mais estudar, já que teria a família para me dedicar. Na minha "cabeça", naquela época, a mulher tinha de obedecer o marido. E o sexo?! Eu achava horrível, pois não sentia prazer algum, e comecei a sentir prazer sozinha (masturbação). Passaram-se alguns anos e eu naquela vida, somente cuidando do lar, crianças, marido, cachorrinho... com a autoestima cada vez mais baixa. Observava as outras mulheres e as achava lindas, sensuais, atraentes, enquanto eu, ridícula. Sexo, então, só ficava imaginando!!! Conversava às vezes (raras vezes) com algumas amigas casadas, elas comentavam coisas fantásticas e eu fantasiava junto, mas, por dentro, me sentia ridícula e não podia falar nada para meu marido, pois ele era atencioso e fazia tudo para que eu sentisse prazer. Quanto a mim, fingia e ficava calada para não o magoar; no fundo achava que tinha problemas, pois só sentia prazer sozinha.

Foram longos anos de ansiedade, até que um belo dia algo muito forte despertou dentro de mim: um vendedor, não me recordo do que, tocou a campanhia, fui atendê-lo e ao ver-me ele perguntou: "— A dona da casa está?". Num tom meio grosseiro, respondi: "— Não. Só volta à noite", e entrei furiosa. Corri para a frente do espelho e constatei: realmente não estava nada apresentável. Não estou querendo dizer que uma dona de casa deva estar sempre linda, maravilhosa, mas acredito que pelo menos apresentável (e não era o caso). Percebi então que já estava na hora de fazer alguma coisa para mudar todo aquele quadro. Comecei a buscar livros e num deles aprendi alguns exercícios, como, por exemplo, me admirar em frente ao espelho, me autoconhecer, e eu fui à luta. Confesso que não foi fácil, mas não é impossível. Comecei a trabalhar fora de casa, e isso, além de ajudar financeiramente, me fez sentir útil. Foi ótimo. Trabalhei durante mais ou menos três anos, organizando cursos para mulheres, algumas das quais tinham a mesma dificuldade que eu e não sabiam por onde começar. Além da autoestima baixa, havia muita curiosidade em relação ao sexo: elas sempre buscavam alguma dica para que o relacionamento não caísse na rotina. Eu sentia essa

 preocupação muito forte em quase todas, e como sempre fui muito curiosa sobre esse assunto, lendo livros, revistas sensuais, quando elas me perguntavam, sempre tinha alguma ideia.

Saí daquele trabalho e, após algum tempo, lendo uma revista com contos eróticos, encontrei um relato de um homem contando o que sua namorada havia feito com ele. Nossa!! Fiquei encantada e ao mesmo tempo surpresa, pois não sabia fazer tudo aquilo e nunca havia ouvido falar ou lido nada parecido. Foi então que descobri o Pompoar, essa fantástica técnica. Porém procurei em vários lugares e não consegui encontrar nenhum curso a respeito, só em outra ocasião, lendo uma outra revista, li um anúncio que dizia: "Ministro curso de Pompoar — Velho Mestre". Achei um pouco estranho, mas como era a única forma de chegar até o Pompoar, resolvi escrever-lhe; após alguns dias recebi a resposta. Não era exatamente o que eu queria, pois era um curso íntimo demais para ser dado por um homem. Insisti por alguns meses e o convenci a dar-me um curso por correspondência. O Velho Mestre passou a enviar-me muitas, mas muitas informações. Comecei a fazer todos os exercícios e, como a maioria das mulheres, muito imediatista, queria fazer algo hoje para amanhã já estar funcionando. É claro que as coisas não são assim, e com o "Pompoar" não poderia ser diferente. O prazo médio para obter resultados era de três meses e eu, na realidade, consegui em quase cinco meses. De repente, aconteceu. Como num passe de mágica, havia me tornado "pompoarista". E o detalhe mais importante: descobri o prazer!

As informações relatavam que se a mulher parasse de se exercitar voltaria a ser como era an-

tes, só que, lógico, pensei eu: "Imagina!!! Agora já estou craque; isto não acabará". Fiz o teste, parei e após algum tempo a mágica acabou, então recomecei tudo e logo já estava funcionando novamente... Comecei, então, a passar esta fantástica técnica para algumas amigas, e os resultados foram maravilhosos. Um dia, recebi um convite pra mostrá-la para todas as mulheres, numa reportagem na televisão. A técnica se tornou pública, claro que de uma maneira muito séria, e o retorno foi incrível, recebi muitas cartas e uma responsabilidade enorme, pois eram vidas que estavam em minhas mãos, convivências incríveis, mulheres e homens acreditando em uma pessoa: "Stella Alves". Não dá para imaginar como me senti!!! Como a responsabilidade era grande, fui em busca de ajuda, fiz pesquisas com ginecologistas (homens e mulheres), pois não sou médica e iria começar a passar algo que estava relacionado à saúde das mulheres — e, como já esperava, o apoio foi incrível. Em seguida, muitas entrevistas foram feitas em todo o Brasil, uma atrás da outra. Aqui estou eu escrevendo o meu primeiro livro, quem sabe o primeiro de uma série, e com o objetivo de transmitir informações que sejam de grande ajuda e utilidade para todos. E, para começar, um tema que acredito ser muito importante: autoestima e autoconfiança.

POMPOAR

ORIGEM DO POMPOAR

O importante ginecologista norte-americano, Dr. Arnold A. Kegel, fez um estudo sobre contrações e transmitiu esse ensinamento para suas pacientes, com o objetivo de eliminar o prolapso da bexiga, que provoca gotejamento de urina. O médico observou que, com os exercícios que trabalham a musculatura vaginal, muitas delas deixaram de ser inorgásmicas, e ademais tiveram grande melhoria em seu prazer sexual, passando a ser elogiadas por seus parceiros. Há 1.500 anos antes de o Dr. Kegel nascer, o *Kama Sutra*, tratado indiano sobre práticas amorosas, já elogiava o Pompoar, técnica antiquíssima, e informava que ele era a especialidade de mulheres do sul da Índia, região onde se fala o tamil, idioma do qual deriva a palavra Pompoar.

As mulheres que dominavam mentalmente a movimentação de seus músculos vaginais eram chamadas de pompoaristas.

Segundo inúmeras pesquisas, o marido (ou o companheiro) de uma pompoarista a valoriza acima de todas as outras mulheres, e não a trocaria pela mais bela rainha dos três mundos...

A pompoarista é chamada *Kabbazah* pelos árabes e significa literalmente "mulher que segura" o pênis com a vagina, e não é surpreendente que os mercados de escravos pagassem fortunas por elas.

O mais incrível é como as pompoaristas são reconhecidas: dizem que são as mulheres mais "gostosas" do mundo e as que desfrutam e proporcionam mais prazer sexual. Quase todas as gueixas e as verdadeiras dançarinas do ventre são pompoaristas.

O Pompoar é muito praticado no Oriente e hoje está sendo estudado por inúmeras mulheres em vários países, especialmente nos Estados Unidos, em decorrência de apaixonados elogios feitos por soldados ao voltarem do Japão, Coreia, Vietnã, Tailândia, etc. E agora, para nossa felicidade, aqui no Ocidente também já está sendo bem divulgada esta fantástica técnica, e inúmeras mulheres estão tendo a consciência do quanto é importante a dedicação especial com seu órgão genital e nada melhor para isso que o Pompoar.

Segundo algumas pesquisas que fiz, o Sir Richard Burton, explorador, espião, militar, poliglota, diplomata e escritor, traduziu para o inglês o *Kama Sutra*, revelando para o Ocidente esta famosa obra. Tinha grande paixão por pompoaristas que, segundo ele, são muito hábeis entre as nativas gallas da África.

Jorge Amado, em alguns livros, faz grande elogio a personagens que "chupitam" com o órgão genital. Como todos podem perceber, o Pompoar já é realmente muito antigo e faz parte do conhecimento de inúmeras pessoas, inclusive dos ilustres, como alguns citados anteriormente.

Agora, citarei pompoaristas famosas que, acredito, quase todos já pelo menos ouviram falar, como por exemplo a Duquesa de Windsor, por quem o rei da Inglaterra precisou abdicar do trono; Lola Montez, dançarina e atriz, também era pompoarista. Foram encontradas biografias dela nas mais importantes enciclopédias do mundo, ilustradas com reprodução de quadros de vários pintores. Por ela o rei Luis I da Baviera também precisou abdicar do trono.

Lola, nascida Maria Dolores Eliza Rosanna Gilbert, na Irlanda, morou duas vezes na Índia, em vários países europeus e nos Estados Unidos, onde morreu. Esteve também na Austrália. Em todos os países, deixou apaixonados. Divulgou o pompoarismo na prática em quatro continentes. Um importante jornalista francês morreu por ela em um duelo. Casou-se cinco vezes e teve muitos amantes famosos, inclusive o pianista e compositor Franz Liszt. Sobre ela foram escritos muitos livros, uma zarguela e feito o filme *Lola Montez*, de Max Ophws, com Martine Carol no papel principal.

Todas essas informações que estou passando é para você entender o quanto o Pompoar é antigo e de grande importância.

Ava Gardner — a lindíssima e famosa atriz norte-americana — era pompoarista, segundo declarou Mickey Rooney, de quem Ava foi a primeira esposa. O casamento de ambos durou pouco. Mickey conta que Ava era virgem aos 19 anos quando eles se casaram. Em sua autobiografia intitulada *Life is too short* (*A vida é muito curta*), esse ator faz o maior elogio à atuação dela na cama, declarando-a insuperável. Para quem foi casado nove vezes e teve várias amantes, é um depoimento lisonjeiro. Ava casou-se também com o mestre Artie Shaw e ainda com o cantor Frank Sinatra. Teve muitos amantes, alguns dos quais Mickey relaciona e outros o são na autobiografia dela (*Ava: minha história*), cuja edição em português está esgotada.

Uma das formas pelas quais pesquisei o assunto foi por meio de uma entrevista à revista *Sexy,* concedida pelo importante crítico de cinema Rubens A . Ervald Filho, que me respondeu uma consulta, dando mais detalhes, a quem reiteramos agradecimentos.

Agora, fica uma dúvida pairada no ar por minutos: será que Ava casou-se virgem? Ela utilizou a técnica do Pompoar?

Como todos já puderam observar, a técnica pode fazer o jogo amoroso de revirginar.

Capítulo 1

AUTOESTIMA E AUTOCONFIANÇA

Duas palavras tão pequenas, mas de enorme importância!!!!
Acredito que autoestima e autoconfiança têm de estar sempre em "alta" e jamais em "baixa". Quase todas as pessoas, hoje em dia, por incrível que pareça, têm sempre algo a reclamar em relação a si próprias. Sei que o que vou escrever aqui pode parecer estranho, mas é a realidade, por experiência própria e por muitos relatos que escutei no decorrer desses meus cursos.

Acredito que para uma pessoa ter sua autoestima ótima, o primeiro passo é ela se amar, gostar de si, de sua aparência em geral, do seu modo de falar, de andar, da sua voz, enfim, do todo, e digo isso porque eu mesma já cheguei a procurar um terapeuta, e o foco do trabalho que ele começou a fazer foi minha autoestima. Fui a algumas seções, mas acabei descobrindo que a maior ajuda estava dentro de mim mesma, não adiantava nada continuar com o tratamento se não estava aberta a escutá-lo, ou melhor, até escutava, mas

não me permitia ser ajudada. Então, acordei para a realidade. Percebi que a situação não era boa, que estava tudo péssimo, pois não me sentia bem em nenhuma roupa, não gostava do meu corpo, do meu sorriso, do meu modo de andar, enfim, me achava um verdadeiro lixo. Isto mesmo!!!

Finalmente, cheguei à seguinte conclusão: se aquela situação não estava boa, por que não mudá-la? Foi quando resolvi comprar meu primeiro livro, *A Mulher Sensual*, e dei o primeiro passo em busca de uma autoajuda. Por que esse livro? Porque eu não me achava nada *sexy* e muito menos sensual. Ao ler, achei algumas coisas absurdas, mas criei coragem e segui o que estava escrito. A primeira dica foi superimportante e continua sendo, pois passo para algumas alunas e é certo que dá resultado: tire a roupa em frente ao espelho, conheça todo o seu corpo, nos mínimos detalhes. Fique horas ali, veja como você é linda, curta todos os seus movimentos e jamais reclame ou critique, isto é expressamente proibido.

Como anda sua autoestima? Por mais problemas que você tenha, nunca deixe sua autoestima e sua autoconfiança se abalarem. Tenha confiança em si própria e saiba que "Você é a pessoa mais importante do mundo". Ame-se !!!!

AMAR A SI PRÓPRIO

É o seu ser todo, por inteiro; seu corpo, sua maneira de sentar, olhar, falar, trabalhar, etc. ... enfim, saiba o quanto você é importante e maravilhosa(o). Dê-se o valor merecido e veja como

todos a(o) observarão com outros olhos, passando a respeitá-la(o) bem mais.

CUIDANDO DO CORPO, DA MENTE E DA ALMA

Cuide do seu corpo fazendo algum tipo de esporte que mais lhe agrade, nem que sejam caminhadas diárias de 10 minutos. Isso faz muito bem, você nem imagina!

Quanto à alimentação, cuidado com o excesso de álcool, cigarro, comidas gordurosas. Procure ter uma alimentação saudável, aliás, o mais saudável possível.

Em relação à mente, também não é difícil. Procure ter sempre pensamentos positivos, seja otimista. Você não imagina o quanto é poderosa a sua mente, então procure tê-la sempre aberta para coisas maravilhosas. Li em algum lugar que "O pensamento é tão poderoso que tem a força de atrair coisas ruins ou boas". Portanto, está em suas mãos. Atrair somente coisas maravilhosas, positivas, boas, formidáveis, afinal de contas, "O poder está dentro de você".

Pense na sua alma... O seu sentimento, como anda???? Reflita sobre isso. Se você tem certeza de que tudo está maravilhosamente bem, ótimo! Parabéns! Continue assim. Mas, se houver alguma dúvida, procure analisar e enxergar o que não está bom e o que pode ser feito para mudar. Para tudo sempre há uma solução, mas não faça como muitas pessoas que dizem: "Ah, deixa assim, um dia melhora".

Não, mude agora! Melhore agora! Lembre-se sempre: o poder está em suas mãos; o controle de sua vida é seu; você é quem deve dirigi-la.

É importante não esquecer daquela frase bem antiga, muito conhecida, que diz: "Não deixe para amanhã o que se pode fazer hoje".

Seja feliz, hoje e sempre.

TEMPO PARA VOCÊ

Isto é superimportante: tenha sempre uma programação, nem que seja mínima, mas que tenha um tempo somente para você.

Sempre ouço as pessoas falarem: "Ah! Mas, não dá. Minha vida é supercorrida, não tenho tempo para mim!". Tenha certeza de que, se você realmente quiser, conseguirá. Antes de qualquer coisa, lembre-se de que você é o que há de mais importante. Cuide-se! E, assim, sempre terá condições de cuidar dos outros.

Quando falo de reservar um tempo para si mesmo, refiro-me a algo muito sério, pois já vi pessoas ficarem estressadíssimas, neuróticas, por estar sempre preocupadas apenas com os outros, com trabalho, dinheiro, filhos, marido, esposa, amigos, etc. Mas, e daí, onde está "você"? Sei que tudo faz parte de sua vida, é claro que sim, mas é importante reservar nem que seja o mínimo de tempo para a gente mesmo de vez em quando.

Dicas:
- *Uma vez por mês, vá ao cinema sozinha(o).*
- *Saia para fazer compras, só para você. Afinal, você existe e merece.*
- *Uma vez por semana, dedique uma hora para ficar em um lugar sem barulho, faça um relaxamento com um som de fundo, bem suave. Isto é formidável! Esqueça tudo!*
- *Faça uma viagem linda. Somente você. Existem várias maneiras de se curtir. Use sua criatividade e aproveite o máximo de sua própria companhia.*

TRABALHO

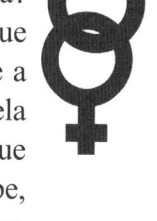

Isto mesmo... E seu trabalho? Como anda? Você gosta realmente do que faz? Por incrível que pareça, já fiz esta pergunta a diversas pessoas e a maioria responde que não, que está nesta ou naquela profissão por necessidade. Isto é horrível! Por que não mudar tudo? Procure descobrir ou, se já sabe, dedicar-se ao que você realmente gosta, pois tudo na vida, se não é feito com amor, fica bem mais difícil.

Você é capaz! Você pode! Então, faça o que realmente quer.

Sempre é tempo de mudar, e, assim, verá o quanto vai ser ótima esta mudança. Você ficará superfeliz de estar fazendo o que gosta, com certeza seu desempenho será muito melhor.

Lute por seus ideais de uma forma que lhe agrade e satisfaça. Observe o quanto vai lhe fazer bem.

Seja feliz!

EXPRESSAR

As pessoas comentam que não é fácil dizer o que realmente pensam, sentem e querem falar. Não pense assim! Tudo é questão de se habituar à situação. Lógico que para alguém que passa a vida toda na mesma situação, aceitando tudo que lhe é dito, prefere não se expressar, com receio de magoar os outros. No início é um pouco difícil, mas não impossível!

Saiba que você pensa e sente, é um ser humano e que as pessoas devem respeitar a sua opinião.

 A partir do momento em que tomar consciência do quanto você é importante, verá como realmente funciona.

Em algumas fases da minha vida, eu acreditava em tudo que as pessoas me diziam, e o pior é que, bem lá dentro de mim, pensava: "não é bem assim...", mas, para que ficassem felizes, concordava e jamais conseguia expressar minhas opiniões. O que acontecia então? Ficava cada vez mais frustrada e as pessoas ainda me viam como "atrapalhada", coitadinha, perdida, quando não me achavam "burra". Foi quando resolvi dar uma reviravolta em tudo. Hoje, falo, me expresso, tomo decisões, tenho opiniões. Quem convive comigo ou passa a me conhecer me respeita muito, as pessoas que "fugiram" são as que realmente não eram amigas, simplesmente queriam sentir-se superiores, gostavam disso, os verdadeiros "donos da verdade". Mas fico com os verdadeiros amigos, aqueles que me respeitam e me admiram. Vamos ficar com os amigos, aqueles que gostam de nós da maneira que somos. Diante disso, pense: Você pode se expressar, sim! Falar o que quer, do que gosta, do que não gosta, claro que sempre de maneira positiva, nada que agrida os outros. Ninguém é dono da verdade. Existem, sim, aqueles que têm um maior número de informações, mas isso não impede que você tenha suas próprias opiniões e aceite ou não a opinião dos outros. Saiba que você é um ser humano que deve respeitar, mas, com certeza, deve também ser respeitado.

PESSOAS QUE LHE DÃO VALOR

Pode parecer estranho, mas é verdade. Você já fez uma reflexão sobre as pessoas que fazem parte de sua vida? Comece a observar quem realmente o valoriza. Já ouvi vários relatos, e entre eles o mais comum é: "quando eu estava numa boa tinha tantos amigos!!! Agora que as coisas não andam bem, veja só... sumiram quase todos!!".

É, meus amigos, é bem assim. Façam uma análise de sua vida pessoal e profissional, no rol de amigos ou familiares: quem são seus amigos, aliados, os que lhe dão força. Reflita... Os verdadeiros estão prontos para tudo, como dizem, na alegria, na tristeza, enfim, de uma maneira geral.

A partir dessa reflexão, comece a dar às pessoas o valor que elas realmente merecem. Seja você também um amigo fiel, pois isso é muito importante e está diretamente ligado à qualidade de vida. Valorize-se e, com certeza, será valorizado.

AGRESSÃO

Você está se agredindo de alguma forma? Por que será?? Veja bem... a agressão a si mesmo existe de várias formas. Conheço pessoas que se sentem gordas. O que fazem contra elas mesmas? Comem demasiadamente, ficam longe dos outros, com receio de não serem bem aceitas. Outras bebem em excesso, usam drogas. Mulheres e homens que se acham feios não se cuidam de maneira alguma, por acharem que não adianta, mesmo!! Isso é triste, pois a autoagressão

em casos excepcionais pode até prejudicar os outros, mas a maior vítima geralmente é a própria pessoa. Se existe alguém com quem você convive que passa por uma situação parecida, procure ajudá-la. A melhor maneira, que coloco em prática sempre que necessário, é o diálogo. Mostre-lhe o quanto ela é linda, importante e dê o apoio necessário. Já presenciei vários casos. Vou narrar um deles: uma amiga, bem gordinha, ou melhor, gorda mesmo, procurava não sair, pois tinha vergonha do corpo. O que ela fazia? Ficava cada vez mais ansiosa e, em casa, comia cada vez mais. Comecei a procurá-la com um pouco mais de frequência. Certamente é um pouco delicado chegar e falar sobre o assunto, mas, com paciência e persistência, comecei o trabalho com elogios, evidenciando suas qualidades em geral. Lógico que, em determinada hora, ela mesma falou o quanto não gostava de si própria, como tudo era ruim e nada dava certo. Enfim, consegui dar o primeiro passo: ela conseguiu dizer tudo que sentia. A partir desse momento, comecei o "tratamento de choque" argumentando:

— Vamos lá, você não gosta de como está, então por que não mudar tudo isso??

— Ah! Não consigo!

— Claro que consegue, o poder está somente aí dentro de você. Tudo dependerá de você, somente de você.

Confesso que foi um trabalho demorado, mas o resultado foi extremamente gratificante: ela decidiu que realmente podia mudar tudo. Resolveu fazer uma dieta, começou a ginástica e hoje tem um corpo que ela adora. Sai com amigos, tem namorado, vive e curte a vida. Mas é claro que para o tratamento dar certo a pessoa tem de querer, pois de nada adiantaria se eu lhe desse algumas dicas e ela apenas ouvisse sem tomar a decisão de "ir à luta".

Lembre-se sempre: em tudo na vida tome a decisão, vá em frente e sinta o sabor da vitória. Conquiste, não se agrida em absolutamente nada. Você é importante! É uma pessoa linda! Maravilhosa! Ah!!! Não esqueça: "Querer é Poder", mas entre o Querer e o Poder existe o "Fazer", então Faça.

LAZER

É isso mesmo! Lazer é uma palavra boa de se ler e ouvir. Veja só: se é bom de ler e de ouvir, melhor ainda é vivenciar. Então, faça isso. Este é um dos fatores mais importantes para o ser humano, pois é por meio dele que podemos relaxar, viver alguns momentos inesquecíveis, deixar problemas (quem não os tem?) um pouco de lado, curtir a vida. Deixo aqui algumas sugestões e não pensem nunca que é "bobeira", ou coisa só para crianças. Afinal, cada um de nós tem um pouco de criança dentro de si. Aproveite e verá o quanto é maravilhoso:

- Andar de bicicleta com uma turma de amigos em algum parque da cidade.
- Fazer um piquenique.
- Ir ao parque de diversões.
- Jogar vôlei, basquete, futebol, tênis de mesa...
- Praia, piscina, lago, cachoeira, rio.
- Pescar.

- Viajar... para qualquer lugar.
- Cinema, teatro, show.
- Barzinho, danceteria, boliche, boate.

Existem várias maneiras de lazer. Escolha a sua e divirta-se. Viva este momento da melhor maneira possível. Tudo é válido, desde que você saia da rotina.

Capítulo 2

PARA REFLETIR

O que aconteceu conosco??!!! Olhem bem para trás, para os nossos antepassados! Como eram? O Romantismo! O Amor! Onde ficou tudo isto? Será que foi a tecnologia que provocou a mudança? Talvez a televisão? O rádio? Os noticiários? As revistas? Enfim, se vocês pararem para observar, o próprio "Homem" construiu tudo isto! Por quê? Será que foi para provar que somos capazes de fazer um mundo melhor? Ou será apenas pelo "dinheiro", símbolo de poder aquisitivo? Pensem um pouco nisto! Procurem refletir... Nem podemos mais sonhar com o amor romântico como nos ensinaram os romancistas e poetas do século XIX ou como nos mostrou o cinema norte-americano dos anos 1950. Casais apaixonados, caminhando de mãos dadas, com roupas esvoaçantes, por bosques floridos em longos e ternos passeios, são talvez belas lembranças de antigos ideais, mas

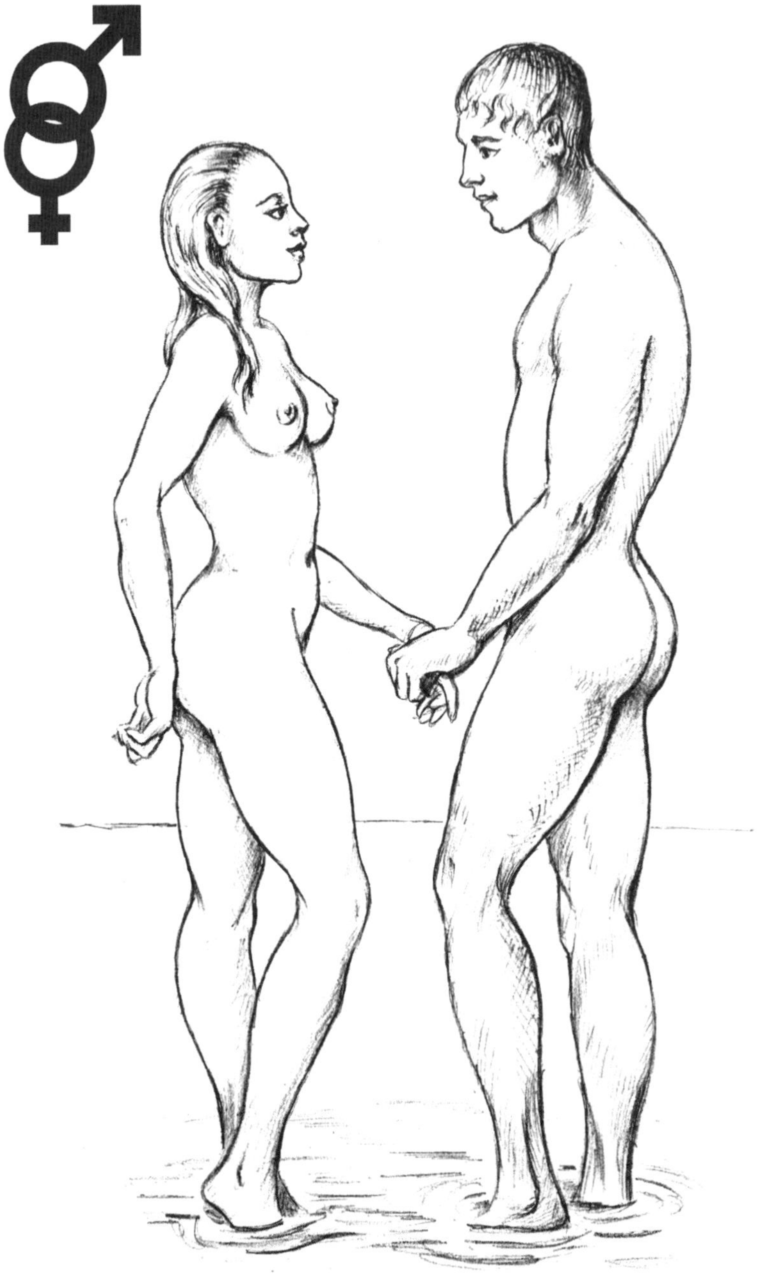

não acredito que tenham muito que ver com o mundo de hoje ou com o que virá. Vínculos aconchegantes, os dois juntos, constituindo-se numa só carne, não resistiram aos anseios de individualidade derivados da nova realidade. Então, só nos resta tentar saber quais são as características das novas ligações amorosas, o que podemos esperar delas e o que devemos fazer para nos preparar para elas. Isto se não quisermos ser pegos de surpresa.

Vocês já pararam para pensar? Um homem e uma mulher se unem por desejo ou por necessidade? Já pensaram na hipótese de um casal unir-se por necessidade? Como seria isto? Necessidade financeira? Ou para não ficar para "titia" ou "titio"? Por solidão ou pela sociedade, talvez? Ou pura e simplesmente pelo fator sexual? Incrível, não?!!! Pois é, já ouvi inúmeros relatos que se encaixaram exatamente num destes fatores. Agora, por que não parar para pensar um pouco mais além disso tudo: olhem um pouco para o passado. Quantos casamentos foram arrumados para a união de fortunas ou de famílias, e quantas mulheres se submetiam por obediência à família, às tradições, a ser escolhidas ou até mesmo prometidas para um rapaz?! E onde ficaram o amor, o respeito, o carinho, a cumplicidade, enfim, o todo?

É, meus amigos, hoje os tempos mudaram e de uma tal forma que chega a espantar o nosso raciocínio. A liberação da mulher foi longe demais, pois elas perceberam que podem ao menos competir intelectualmente com os homens. Se isso foi bom ou mau, só vocês podem responder!! Eu particularmente acredito que se por um lado foi maravilhoso, pois a mulher descobriu que não nasceu apenas para reproduzir ou servir ao homem, mas para sentir prazer como ele e ajudá-lo em inúmeras atividades, por outro lado, algumas se perderam neste movimento. Acredito que o ideal seria os dois caminharem juntos em todos os sentidos: amorosa, sentimental e financeiramente, respeitando-se, em primeiro lugar, como seres humanos. O homem deve saber dar o devido valor à mulher, entendendo quanto ela é sábia, culta e inteligente, e isso, juntamente com a união dos sentimentos, o respeito, o carinho e a cumplicidade em todos os sentidos, com certeza daria a medida certa. A confiança mutua é também um dos fatores extremamente importantes, pois sem ela acredito que absolutamente nada do que foi dito anteriormente vale a pena; "confiança", e estou falando da sentimental, sexual, financeira, enfim, envolvendo tudo mesmo.

Antigamente, o serviço braçal era extremamente importante e a mulher ficava sempre para trás neste sentido, mas hoje, como ele está sendo substituído pelo intelectual, a mulher está cada vez mais competindo com o homem nesse processo. Valores como o encanto, a magia e o poder do "amor" estão se perdendo devido à pura e medíocre competição. Por que não usufruir do fato de a mulher ter descoberto o quanto ela é poderosa e inteligente e de o homem ter a certeza da força braçal, mas, ao mesmo tempo, saber utilizar a inteligência que lhe foi concedida?

Acredito que seria uma grande e gratificante união e de grande recompensa para ambos, pois a mulher, por exemplo, poderia continuar protegida e amparada por um ombro forte, amigo, amante, enfim, qualidades que o homem pode proporcionar, e o homem entenderia que a mulher é uma eterna e fiel companheira, capaz de administrar este todo e ainda por cima ajudá-lo financeiramente.

Com a grande competição de hoje em dia, em que o homem por natureza está sempre querendo provar o seu "poder" — "Eu sou o homem, a parte mais forte, tenho de ganhar mais" —, imagino que, se eles percebessem o quanto nós, mulheres, somos capazes de conduzir tudo isto de maneira mais suave, apoiando-os, esta vida seria bem melhor, pois somos todos seres humanos com desejos, sentimentos, ideais e objetivos. Querer ficar nesta hipócrita competição é besteira. Acreditem: todos somos seres capazes, fortes e extremamente inteligentes; a união, sem a mera competição, sem querer provar quem são os melhores, os mais fortes, os mais inteligentes, tornaria mais suave esta nossa maravilhosa e glamourosa "grande jornada da vida".

Imagino sempre que o verdadeiro e eterno amor esteja resumido em apenas algumas palavras, mas de grande sentido: amor, união, cumplicidade e, talvez a mais importante, respeito. Pensem nisto!!!

Capítulo 3

AMOR

mor!!! Como é lindo!!!!!! Mas, às vezes, chega a ser assustador. É claro que existem tipos diferentes de amor, como, por exemplo: amor pelos pais, filhos, amigos; mas quero referir-me agora ao amor entre homem e mulher. Aquele que arrebenta corações, dá "frio na barriga", amolece as pernas. Como é maravilhoso amar!

Lógico que já passei pela adolescência e sei o quanto a paixão ("fogo de palha") é diferente do verdadeiro amor. A paixão é muito boa de se sentir, é uma verdadeira loucura. Há quem chegue a confundi-la com amor, mas pense bem no que você está sentindo hoje por alguém especial. Será amor? Ou paixão?

Claro que o importante é estar sentindo, vivendo um momento formidável, mas chega uma hora em nossas vidas em que, por mais que lutemos contra, o amor é inevitável.

Conheço pessoas que querem viver sozinhas. Respeito todo mundo. Acredito que não importa como se direcione o amor, o importante é ser feliz, mas, analise bem: como é forte e lindo poder ter um grande amor e vivê-lo intensamente, de uma maneira saudável. Aquele amor em que existe, acima de tudo, respeito, carinho, compreensão. É bom saber que existe alguém com quem se preocupar e vice-versa, alguém que você saiba que no final de um dia cheio de tarefas estará aguardando, no aconchego do lar, à noite; um ombro esperando para compartilhar tudo, alegrias, tristezas, lágrimas; um dando força para o outro, seguindo, confiantes, nesta grande jornada chamada vida.

Dizem que este tipo de amor só existe em filmes, novelas, livros de romance, mas pense bem... por quê?? Acredito que se existe amor entre duas pessoas, por que não fazer o possível e o impossível para se viver bem? Olhe um pouco ao seu redor e observe: existe alguém que você conheça que viva 100% bem?

Eu, particularmente, não conheço, mas sei daqueles que passam por vários obstáculos juntos, sempre tentando superá-los, pois se existem os momentos maravilhosos, existem outros não tão fáceis, como a doença, a dificuldade financeira e algumas turbulências um tanto quanto complicadas. Nessas horas é que temos de ser firmes, dar as mãos, superar os obstáculos, sabendo que existe alguém que está junto, dando o apoio necessário.

Não me recordo bem, mas há uma frase conhecida que tem um sentido enorme: "a vida é feita de momentos felizes e estes momentos formam uma vida", então, vamos lá, viver todos estes momentos felizes, da melhor maneira possível.

Lembre-se sempre: a força do amor tem um poder muito grande. Existem pessoas que não conseguem viver juntas por algum motivo, às vezes, incompatibilidade de gênios, conflito familiar, mas mesmo de longe conseguem amar-se, desejam que o outro seja feliz, pois o verdadeiro amor é este e, aconteça o que acontecer, ele permanece forte e eterno.

Você, que está tendo a oportunidade de ter e viver um grande amor, aproveite, lute por esse sentimento, não deixe que nada nem ninguém atrapalhe.

Há uma frase que diz: "o casal tem de ser cúmplice em tudo". Realmente, é verdade. A cumplicidade faz parte da vida do casal, pois é preciso que seja um pelo outro.

E quem tem filhos, lembre-se: filho é um presente maravilhoso, que Deus nos envia para cuidar, educar, mostrar a diferença entre os caminhos certos e errados, dar muito amor, carinho, compreensão, educação, orientação. Certamente, eles seguirão os caminhos deles e vocês, pais, permanecerão ali, firmes e fortes, unidos em todos os sentidos, prontos e de braços abertos para os eternos conselhos que, com certeza, eles virão pedir, pois, afinal, nunca deixarão de ser pais e grandes amigos. Devem estar sempre unidos para poder viver esses momentos maravilhosos juntos.

Tenha a certeza de que o verdadeiro amor é eterno e uma grande fortaleza.

Capítulo 4

RELACIONAMENTOS E "RELACIONAMENTOS"

O seu, como anda???? Esta palavra às vezes assusta, mas também não é para menos. Hoje em dia, estamos escutando coisas um pouco assustadoras com relação a esta palavra, porém não é bem assim. Existem relacionamentos e "relacionamentos", e você tem sensibilidade suficiente para analisar como anda o seu.

Resolvi fazer uma pequena pesquisa e pedi a algumas pessoas, entre homens e mulheres, que me indicassem os cinco itens mais importantes em um relacionamento. As palavras-chave foram superinteressantes, só que a ordem foi bem diversificada, pois cada um tem uma maneira de pensar, de sentir. Vou colocar aqui as que achei mais interessantes e você analisará, segundo a sua opinião.

A.
1) Respeito
2) Fidelidade
3) Companheirismo
4) Amor
5) Sexo

B.
1) Companheirismo
2) Fidelidade
3) Amizade
4) Sexo
5) Diálogo

C.
1) Cumplicidade
2) Fidelidade
3) Amizade
4) Sexo
5) Diálogo

D.
1) Carinho
2) Cumplicidade
3) Sexo
4) Fidelidade
5) Diálogo

E.
1) Companheirismo
2) Sexo
3) Cumplicidade
4) Amor
5) Fidelidade

F.
1) Paciência
2) Diálogo
3) Companheirismo
4) Sexo
5) Muita compreensão

Analise todos os itens e, de acordo com seu ponto de vista, escolha a ordem que mais lhe convém, a que lhe parece mais sensata. Coloque estas propriedades em sua vida, procurando seguir uma ordem sem invertê-la.

Já ouvi muitos relatos e entre eles um que marcou. Foi o de uma mulher, em cujo ponto de vista os itens mais importantes eram o carinho, a cumplicidade e o diálogo, enfim, ela precisava destes pontos antes de chegar ao sexo. Mas, para seu companheiro, o principal, antes de tudo, era o "sexo". Ela perdeu o controle da situação, resolveu anular-se, deixando suas prioridades para agradar ao companheiro, e chegou ao ponto de não gostar mais de sexo, fazendo-o apenas por obrigação. A situação ficou tão insuportável que ela veio ao curso à procura de um resgate, queria "voltar a gostar" de sexo. Lógico que não foi tão simples mas, com o decorrer do tempo, ela voltou a ser como era no princípio.

No meu ponto de vista, tanto a mulher quanto o homem têm suas prioridades e ambos devem procurar um caminho que seja ótimo para os dois.

Costumo escutar sempre que "relacionamento não é fácil"!!! Até concordo, mas desde que você não se proponha a torná-lo fácil. Quando existe "amor" verdadeiro, tudo será diferente, um excelente diálogo entre o casal, o ceder equilibrado de ambas as partes, ou seja, determinação em deixar as coisas melhores, o resultado será fomidável para ambos. Lembrem-se sempre: "Querer é poder", só que entre os dois existe o fazer, como eu já disse, então, tenha a consciência disso e faça.

Li uma vez, em algum lugar, que para uma relação a dois valer a pena, alguns fatores são primordiais, e, entre vários, os que mais me chamaram atenção foram:

- Total respeito pelo outro e pelo seu jeito de ser, suas ideias e suas escolhas.

- Não deve haver responsabilidade ou manifestação de ciúmes que possa limitar a vida do parceiro.
  Pense nisto!!!

São muitas as queixas que homens e mulheres têm uns dos outros, mas a vida a dois pode ser muito boa, desde que vocês dois estejam atentos e dispostos a viver uma vida saudável, com muito amor.

A minha dica final é: jamais se acomodem; estejam sempre atentos e nunca deixem que a rotina invada o relacionamento; sejam criativos e amem-se cada dia mais, afinal, a vida passa num "piscar de olhos", então, por que não aproveitá-la da melhor maneira?? Sejam muito felizes!

MENTE, AUDIÇÃO, OLHAR, BEIJO, TOQUE

Olhem só o que se pode fazer pelo relacionamento somente observando este conjunto. Acredito que comece assim: com o olhar, jogos de sedução... por meio dele, sua mente começa a viajar, a imaginação vai longe e você cria muitas fantasias; logo vem a audição, a maneira do outro falar, o tom de voz, o que fala; em seguida o toque, um simples aperto de mão ou até um abraço, como é bom!!! Provavelmente, em seguida virá o beijo! Como é importante o beijo. É lógico que, seguindo estes passos, depois vem o maravilhoso e esperado ato sexual (fazer amor).

Atenção! Não deixe este encanto, esta magia se acabar. Falo isso porque já ministrei cursos para milhares de mulheres, converso com muitos homens e tenho escutado, com frequência, reclamações de ambos de que, no início, tudo é fantástico, maravilhoso e, com o tempo, o "encanto" vai se acabando. Por que será?

As mais frequentes reclamações, por parte dos homens, são que as mulheres, ao conquistar, são atenciosas, elegantes, arrumam-se maravilhosamente bem, são fogosas, charmosas e, após algum tempo, deixam isso tudo de lado, e até mesmo para não fazer amor têm sempre uma desculpa.

Com relação às mulheres, as colocações mais frequentes ficam por conta da falta de carinho, da conquista diária, da atenção. No início, o parceiro telefonava com mais frequência, lembrava de datas importantes, dava presentes, fazia elogios, manifestava atenção de uma maneira geral e também no sexo... agora, acaba e vira para o lado. "— Sinto-me uma máquina!", dizem elas.

Aliás, algumas mulheres reclamam muito de seus companheiros, e as queixas mais comuns são:

- Falta de diálogo.
- Falta de participação nos afazeres domésticos.
- Permanecem pouco tempo em casa.
- Não dizem: "Eu te amo".
- Não se importam com as necessidades delas.
- Não se lembram de datas importantes.
- Rotina no sexo.
- Não são românticos.
- Interessam-se mais pelo trabalho do que por elas.

É desagradável, mas é bem assim que acontece. Eu, porém, ainda acredito que é possível manter todo o encanto inicial e, segundo o que venho escutando de ambos os sexos, tenho algumas dicas importantes para vocês, homens e mulheres.

HOMENS E MULHERES

Homens, deem mais atenção, façam elogios. Sei que é um pouco difícil, mas procurem guardar algumas datas, pelo menos aquelas mais importantes; dar um telefonema durante o dia não tomará muito do seu tempo e dará um grande resultado, pois ela saberá que você está pensando nela. Com esta lembrança, você não imagina como vai fazer a sua mulher feliz. Um presente fora de data! Isso mesmo, não precisa ser nada de grande valor material, mas acredite que o sentimental será enorme. Preocupe-se com ela: pergunte como foi seu dia, se há algo em que você possa ajudá-la e, quando fizer amor, nunca vire de lado ou levante-se rapidamente para tomar banho. Curta seu amor, pelo menos por alguns instantes. Saiba que o momento foi maravilhoso e é necessário se curtirem depois desta entrega total.

É, meu amigo, você deve estar pensando: "mas para que tudo isso?". Você verá o resultado. Há um detalhe superimportante: o diálogo é fundamental, em tudo, inclusive em relação ao sexo. Em vez de reclamar de sua parceira, por que não chegar até ela e conversar sobre o que está bom e o que está ruim para que, assim, o relacionamento de vocês se torne MARAVILHOSO?!!!

Dica para os homens: fiquem atentos, pois um pequeno detalhe para uma mulher pode tornar-se grande. Procure:

- Elogiar.
- Sorrir (sempre).
- Falar coisas agradáveis: "Eu te amo", "Você é linda", etc.
- Fazer massagens.
- Dialogar (sempre).
- Demonstrar maior interesse pela vida profissional dela.
- Dedicar-se mais a ela de uma maneira geral (sendo sempre carinhoso).
- Lembrar datas importantes.
- Presenteá-la, mesmo fora de data.
- Ajudá-la nos afazeres domésticos sempre que possível.

Se vocês observarem estes pequenos detalhes, com certeza seu relacionamento ficará maravilhoso. Por que não tentar?

Reflitam.

Mulheres, agora é com vocês! Por incrível que pareça, as dicas são iguais às dos homens: estejam sempre lindas para o seu amor. É claro que para vocês, em primeiro lugar, mas seu amor ficará encantado em vê-las sempre arrumadas. Não esqueça que o sorriso é fundamental. Ninguém gosta de cara amarrada. Tenham otimismo e alegria, deem muita atenção ao seu amor. O diálogo é fundamental em todos os momentos da vida. Não fiquem remoendo pensamentos, conversem com ele, pois as mulheres, segundo minhas pesquisas, costumam ficar imaginando coisas e nunca as colocam para fora; quando a "bomba" estoura, pronto, não há paciência que resista.

Fiquem atentas, pois eles também têm o direito de reclamar, e, durante a pesquisa que fiz, a maioria reclamava de algo assim:

- O ciúme excessivo ("me incomoda").
- Penso que estou agradando ("ela acha que não!").
- As cobranças são muitas.
- Ela quer me dominar.
- Ela se intromete em tudo.
- Ela me controla demais.
- Quer que eu seja outra pessoa.
- Não me deixa respirar ("me sufoca").
- Ela é muito pegajosa ("fica direto no meu pé").
- Vive reclamando de tudo.

Diante disso ficam aqui algumas dicas para vocês:

- Controle seu ciúme (tenha certeza de que ele a ama).
- Qualquer detalhe que ele lhe faça, demonstre que gostou (elogios).
- Não faça muitas cobranças (trate-o de maneira sutil).

- Nunca seja possessiva (jamais queira dominá-lo).
- Não seja intrometida (cuidado com a invasão de privacidade).
- Jamais tente mudá-lo radicalmente.
- Não fique tanto no pé dele, isto pode irritá-lo.
- Reclamações demais podem torná-la uma mulher chata (cuidado).

DIÁLOGOS

O diálogo ainda é a forma mais sensata de resolver os problemas. Em todos os momentos, sempre converse com seu amor; diga tudo o que você pensa e sente. Certamente, você verá um resultado maravilhoso para ambos.

O lado sexual também é fundamental. Algumas mulheres reclamam muito de não sentir prazer, e este é um assunto cada vez mais frequente. Aconselho sempre: em primeiro lugar, conheça seu corpo, cada centímetro dele. Assim você saberá onde tem mais sensibilidade e com isto ficará mais fácil de direcionar seu companheiro. Outra dica: algumas mulheres não conseguem sentir orgasmos somente com a penetração, e sim orgasmo clitoriano. Isso é extremamente comum, só que muitas não têm este conhecimento e acabam achando que não sentem prazer. Faça o teste: mesmo quando estiver tendo a relação sexual com seu amor, toque você mesma seu clitóris. Em qualquer posição que estiverem é possível se tocar. Alguns homens sabem como fazer e isso é supergostoso. Você verá que orgasmo maravilhoso! É por isso que ressalto a importância do diálogo com seu amor, mesmo em relação ao sexo, pois é formidável você poder conversar com ele da maneira mais clara possível, falando do que gosta e do que não gosta, e assim vocês chegarão às conclusões juntos.

Com tudo isso, você certamente começará a ver a vida de outra maneira e a viver cada instante com muito mais energia e dedicação. Não se esqueça: a vida é muito curta, então aproveite cada instante da melhor maneira possível. Imagine se amanhã fosse seu último dia... Como você o viveria? "Viva cada minuto de sua vida como se fosse o último."

Experimentem!!! Sejam felizes!!!

Capítulo 5

A VOCÊ, HOMEM

(RELATO)

Você já foi feliz?
Você já conheceu o amor?
Você já foi amado?
É um privilégio de poucos.

Há pessoas que dão.
Há pessoas que pedem.
Há pessoas que precisam.

Mas, no firmamento,
Pouquíssimas pessoas ou "almas" podem dizer que amaram com a mesma intensidade.
Sem mais nem menos.
Melhor, muito melhor ainda.

Sem se vangloriar.

E saber e ter a certeza de ter sido amado com a mesma intensidade "sempre".

O amor é único, como a honestidade, nem mais, nem menos. Só os que sentem sabem disso.

Um recado: aos homens que irão ler este livro, um lembrete de um homem extremamente amoroso e amado na mesma intensidade: o amor é como a natureza, quanto mais simples, mais fácil se torna.

Gostaria de dizer, logo no início desta narrativa, que o amor entre duas pessoas é ou não é. Não existe meio-termo, assim como na honestidade, virgindade, verdade, fidelidade, bondade e felicidade.

Se você quiser ser um homem plenamente realizado na sua vida conjugal, enumere algumas atitudes do seu relacionamento que lhe serão muito importantes por toda a sua vida a dois:

- Esqueça totalmente o passado, pois ele não existe.
- Ser cavalheiro e gentil não quer dizer que você não é macho; muito pelo contrário.
- Levar rosas para casa mesmo sem data, dia ou hora marcados é coisa de macho.
- Ser cortês e meigo ao puxar uma cadeira ou mesmo abrindo a porta do carro; isso é ser macho. Telefonar e falar da lua cheia maravilhosa no céu, feita para ela; isso é ser macho.
- Compactuar com seus filhos para fazê-la sentir-se a mulher mais amada do mundo; isso é ser macho.
- Ser o mestre-cuca no fim de semana junto à família, à beira da churrasqueira; isso é ser macho.
- Ser galanteador sempre e bem-humorado é coisa de macho.

- Procure o poeta que existe dentro de você e faça um poema para a mulher amada. Isso é que é ser macho, não tenha vergonha de ser você mesmo.
- Procure nunca mentir, seja qual for o motivo. A verdade é única e será sempre um alicerce no relacionamento. A verdade de hoje será a mesma daqui há um século e a mentira de hoje será a decepção de amanhã.
- O amor num relacionamento duradouro é o respeito à individualidade de cada um. Amar é saber das nossas limitações, assim como das da parceira.

Por isso e por tudo o mais não relatado, com toda a certeza deste mundo e com a experiência de ser um jovem de mais de 58 anos, praticante incansável do aqui exposto, sou amado e exaustivamente assediado pela mulher amada.

Amar não é plantar um hortaliça e sim cultivar uma árvore; é fazer com que o lenho se torne cada vez mais forte e arraigado à vida. Relacionamento com consistência é a coisa mais simples do mundo. Eis aqui algumas dicas:

1. Não deixar que pessoas ou fatos, que não dizem respeito ao casal, interfiram na vida dos interessados.
2. Ser alegre e extrovertido; não há problema que consiga abalar a estrutura de uma família alegre e unida.
3. Ser fiel. A fidelidade é um estado de gozo e êxtase na vida de um homem que só os que são fiéis podem sentir e experimentar.

4. Fazer do cotidiano uma escola. Aprender sempre, mudar quando necessário, e para melhor; dar de você (lição de vida) o melhor de suas experiências.
5. Para os filhos, ser o herói, mostrando, sem impor, o seu caráter e hombridade, sendo sempre honesto, justo e verdadeiro.
6. Saber fazer amor nas 24 horas do dia, sem ir para a cama nas mesmas 24 horas.
7. Aprender a saber o que representa o orgasmo para a sua amada — não se esqueça de como fica o seu ego com ele.
8. Procure saber o que é TPM (tensão pré-menstrual) e assumir a postura da tranquilidade, do carinho e da compreensão. Isso somente os que amam e são amados conseguem.
9. Repeite a hirerarquia do lar (isso é ser macho): ela é rainha; nós somos os servos. Somos privilegiados! Experimente um agradecimento.
10. Faça amor sempre como se fosse a primeira vez. Esqueça o ontem e não pense no amanhã.
11. Incentive sua companheira a ser uma pompoarista. Com certeza será ótimo para ambos.

Eu vivo este amor intensamente e gostaria que muita gente vivesse assim, amando e sendo amado. Então, amem e sejam amados. Amar é muito fácil. Muita paz a todos.

Sejam felizes!

Capítulo 6

ATLETA DO AMOR

Estranho? Não!!! Existem atletas de todos os tipos, por que não do amor?

É realmente fantástico! No meu ponto de vista, para tornar-se um(a) atleta no ato de fazer amor, o primeiro passo é realmente conhecer cada centímetro de seu corpo; descubra todos os lugares em que você tem sensibilidade. Um ótimo começo é praticar a masturbação, acompanhado(a); é uma sensação fantástica, mas a sós é também maravilhoso, e você ainda estará treinando para tornar-se um(a) verdadeiro(a) atleta no ato do amor.

SEXY E SENSUAL

Você, homem, provavelmente está lendo este livro e pensando: "Isto é só para mulheres"; nada disso...

Também serve para você. Olhe só:

HOMEM E MULHER

Acredito que o que atrai, tanto o homem quanto a mulher, está ligado aos cinco sentidos (olfato, visão, paladar, tato e audição). É só ficar alerta a todos eles para com certeza estar sempre muito *sexy* e sensual. Lembrando sempre daqueles pequenos detalhes, mas que se tornam grandes, como, por exemplo: andar, olhar, maneira de se expressar, a escolha da roupa, sapato, óculos, perfume...

BELEZA

A maioria das pessoas se importa muito com a beleza exterior e poucas conseguem enxergar o quanto é belo o interior do ser humano. Conheci muitas pessoas na vida, algumas delas tinham em conjunto a beleza exterior e a interior, mas já conheci várias que não eram exteriormente tão belas, mas com coração, sentimento, humanidade, que as tornavam lindas e muito atraentes. Outras, extraordinariamente bonitas por fora, e com um vazio imenso por dentro, não transmitem absolutamente nada, acabando por tornar-se chatas, insuportáveis, nem um pouco atraentes. Eu particularmente acredito que a verdadeira beleza está no todo, só que a beleza interior prevalece.

Pense nisso!

SEDUÇÃO

Uma arma poderosíssima! Nós, seres humanos, homens e mulheres, temos o poder da sedução. A sedução é muito forte e podemos usá-la de várias maneiras. Pense bem! Temos o poder de seduzir um amigo, um chefe, nosso Amor!!!!

Existem várias formas de sedução, pois até um prato de comida especial é muito sedutor. Sendo assim, explore a sedução da melhor maneira que puder e que lhe for conveniente.

Nós, mulheres, temos agora mais uma vantagem: a alternativa da sedução que é a maravilhosa técnica do Pompoar.

Provavelmente algum leitor deve estar pensando: onde está o "Pompoar"?? Calma, chegou!!! No próximo capítulo você entrará nesta grande viagem: a fantástica técnica do "Pompoar". Espero que os capítulos anteriores tenham acrescentado algo na sua vida. Então, vamos lá, da autoestima e relacionamento diretamente para o pompoarismo...

Capítulo 7

POMPOAR — A ARTE DE AMAR

A palavra "Pompoar" é originária do tâmil (ou tâmul, idioma do Sri Lanka e sul da Índia. Significa o comando voluntário dos músculos circunvaginais. "Pompoar" é uma técnica milenar (cerca de 3 mil anos), proveniente do Oriente, onde é praticado em muitos países com a finalidade de prolongar e intensificar o prazer durante o ato sexual e beneficiar a saúde da mulher.

Em alguns países, como na Tailândia, as mães ensinam a suas filhas desde pequenas a técnica do Pompoar, e estas, quando adultas, já a dominam totalmente.

Segundo vários ginecologistas, no que diz respeito à saúde, o objetivo do Pompoar é fortalecer os músculos da vagina, prevenindo a queda da bexiga, perda urinária e cirurgias desnecessárias, além de auxiliar a gestante no parto normal.

Alguns relatos de Pompoaristas informam sobre a redução ou até, em alguns casos, a eliminação de cólicas menstruais. Além disso, mulheres com dificuldade de aceitar a penetração também foram beneficiadas com o "Pompoar".

Como você poderá observar, além de a técnica ser muito saudável, proporciona ainda enorme prazer ao casal, ou seja, vamos unir o útil ao agradável, melhorando a saúde da mulher e proporcionando mais prazer ao casal.

Como foi dito no início, o "Pompoar" existe há milhares de anos, mas antigamente era conhecido somente no Oriente, onde surgiu. Hoje, no Ocidente, já existem várias mulheres que estão sendo privilegiadas com a fantástica técnica.

O *Dicionário Michaellis* incluiu, em 1998, quatro verbetes sobre o assunto:

Pom.po.ar. *s.m.* (tâmil pahm-pour, do fr. *pompoir*) Contração voluntária dos músculos circunvaginais, a fim de induzir sensações eróticas no pênis durante o ato sexual. Tal prática prolonga e intensifica o prazer sexual.

Pom.po.a.ris.mo. *s.m.* (pompoar + ismo) Tudo que se refere ao sistema ou técnicas do "Pompoar".

Pom.po.a.ris.ta. *s.f.* (pompoar + ista) Mulher que pratica o "Pompoar" com grande habilidade.

Pom.po.a.ri.zar. *v.t.d.* (pompoar + izar) Preparar a mulher para a prática eficiente do "Pompoar".

Antigamente, o Pompoar era visto como algo pornográfico, pois era praticado constantemente pelas prostitutas. Hoje, com um maior número de informações, as pessoas puderam obter conhecimentos mais profundos a respeito do assunto e perceberam a seriedade da técnica, que é extremamente saudável e benéfica.

Ainda existem, em alguns países, *shows* com Pompoaristas. Nessas apresentações, elas fazem verdadeiras acrobacias somente com o órgão genital, provando, assim, a habilidade que conseguiram adquirir. Expelem bananas, abrem garrafas, fumam, enfim, usam e abusam de seu "poder", para que os homens realmente tenham a certeza do que são capazes.

Cenas do Pompoar já foram exibidas em alguns filmes, como "Priscilla, A Rainha do Deserto", "O Império dos Sentidos", entre outros.

O "Pompoar" é uma arte sublime, que intensifica a sensualidade e a sexualidade femininas. Quando praticado, pode melhorar muito a relação amorosa, aumentando o prazer sexual e, com certeza, fortalecendo o laço afetivo do casal.

GUIA PRÁTICO DO POMPOAR

Para tornar-se uma pompoarista (mulher que pratica o Pompoar com grande habilidade) é muito simples. Basta querer, nem precisa acreditar, pois sempre, em tudo na vida, tenha como princípio: "Querer é Poder". O Pompoar é nada mais, nada menos que o controle mental dos músculos circunvaginais.

IMPORTÂNCIA DOS EXERCÍCIOS E FREQUÊNCIA COM QUE DEVEM SER FEITOS

O Pompoar é uma técnica muito simples. Só ressaltamos a importância da continuidade dos exercícios, explicados em aula, que devem ser feitos por toda a vida. Não podemos nos esquecer de que estamos falando de músculos. Por exemplo, se você faz ginástica localizada, o bumbum dentro de alguns meses fica perfeito, bem firme. Só que, se você parar, com certeza voltará a ser flácido. No Pompoar acontece a mesma coisa. Seguindo a técnica corretamente, em três meses terá um controle da musculatura da vagina, consequência dos anéis perfeitos, mas, se parar, obviamente voltará ao que era antes. Então, é importantíssimo que a mulher siga à risca toda a técnica.

EXERCÍCIOS DO POMPOAR

Agora vamos aos exercícios! Espero que vocês aprendam a técnica e, através da prática, obtenham resultados satisfatórios.

Para o treinamento do Pompoar são necessários três exercícios:

1. Contrações
2. Malhação íntima com o ben-wa (bolinhas)
3. Malhação íntima com o vibrador

CONTRAÇÕES

Para identificar o que é uma contração, imagine que você está fazendo "xixi"... interrompa-o no meio.

Este movimento interno que você fez é uma contração. Esta experiência é apenas para você poder identificar o músculo pubococcígeo mas não faça deste um exercício, pois segundo ginecologistas, você pode contrair uma cistite.

O interessante seria fazer no mínimo 300 contrações por dia. Você não precisará contar o número de contrações, bem como não será necessário fazer o mesmo número de contrações todos os dias. Tudo que é muito rígido acaba se tornando "chato" e, no caso do Pompoar, isso não pode acontecer, pois são exercícios agradáveis.

Faça as contrações no decorrer do dia (contraia e relaxe).

Atenção: O nosso órgão genital é formado por vários anéis (feixe de músculos). Através dos exercícios do Pompoar, você conseguirá fortalecer os músculos e movimentá-los. É fundamental identificar cada um dos anéis. Para que isso aconteça, é preciso treinar a força (intensidade) e a velocidade.

Observe agora como você identificará os anéis:

FORÇA (INTENSIDADE)

Como teremos que trabalhar com a força, ficará bem mais fácil se você treinar assim:

— No primeiro anel, contraia com força fraca.
— No segundo anel, contraia com força média.
— No terceiro anel, contraia com força forte.

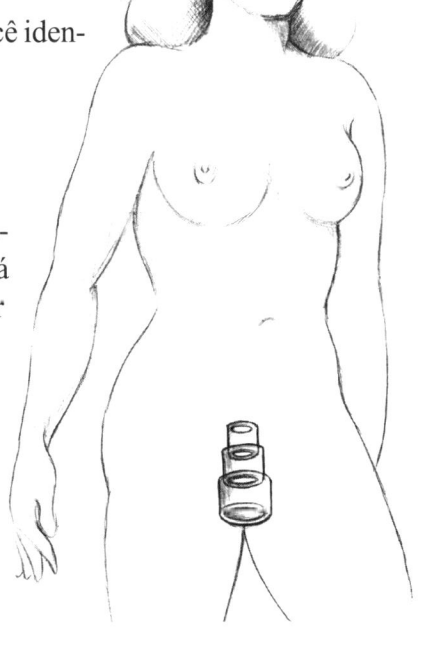

Força:	1 — Fraca	1 — na entrada da vagina
	2 — Média	2 — no meio
	3 — Forte	3 — perto do útero

Lembre-se sempre: Quando eu mencionar "sequência 1, 2, 3," você deverá usar a intensidade da força 1-Fraca, 2-Média, 3-Forte. Durante o dia, intercale os exercícios do "aperta/relaxa" e 1, 2, 3, não se esquecendo de que não é necessário ficar contando as contrações.

Faça os exercícios normalmente e aos poucos eles farão parte do seu dia-a-dia, tornando-se automáticos.

Comece moderadamente e vá aumentando a quantidade. Quando você menos esperar, estará fazendo cerca de 500 contrações.

Em apenas três meses de treinamentos diários, você atingirá a excelência e terá total domínio dos músculos circunvaginais. Por toda a vida você fará agradáveis exercícios de manutenção.

Esta técnica irá ajudá-la a fazer maravilhosos jogos amorosos somente com seu órgão genital, proporcionando prazeres fantásticos ao casal.

SAÚDE, HIGIENE E PRECAUÇÕES

No decorrer de algumas pesquisas descobri coisas incríveis, veja que interessante. Você sabia que uma das funções das secreções vaginais é manter o pH da vulva e da vagina entre 4,0 e 5,5, que é menor do que o pH das outras partes externas do corpo humano, que ficam entre 6,0 e 7,0. Isso acontece por uma razão muito importante: o baixo pH ajuda a combater as bactérias responsáveis pelas infecções vaginais e odores desagradáveis. Esse processo é a natureza e seus sábios mecanismos de autodefesa. O problema reside nos sabonetes comerciais que, na sua grande maioria, têm um pH muito alto, na ordem de 6,0 a 14, e, consequentemente, alteram o pH da vulva comprometendo, dessa forma, a nossa defesa natural. Fique atenta! Existe no mercado sabonetes de baixo pH desenvolvidos exclusivamente para uso em genitais femininos. Converse com seu médico a respeito.

Ao longo deste livro, eu comento sobre mulheres que colocam frutas dentro da vagina quando estão brincando com seus parceiros. Também é comum ver casais que utilizam geleias, mel, *chantily*, ou até mesmo bebidas alcoólicas, tipo vinho e champanha, dentro da vagina. Tenha em mente que a permanência dos resíduos de açúcar no interior da vagina propicia o desenvolvimento e a proliferação de células de levedura que podem causar irritação e desconforto. Portanto, faça sempre uma rigorosa higiene para eliminar todo e qualquer vestígio desses artigos imediatamente após utilizá-los.

Não só os acessórios recomendados para os exercícios do pompoar, como também todos os outros brinquedinhos sexuais, devem ser muito bem lavados antes e após o uso. Microorganismos e bactérias podem se desenvolver na superfície desses objetos que, quando introduzidos no corpo, causam grandes danos à sua saúde vaginal. Muitas mulheres costumam envolver esses acessórios em camisinhas antes de introduzi-los. Uma boa prática é esterilizá-los com água oxigenada.

Os lubrificantes também merecem uma atenção especial, uma vez que nem todos podem ser usados indiscriminadamente. Por exemplo, lubrificantes à base de óleo (vegetal ou mineral) prestam-se perfeitamente para uso externo, que é o caso de massagens ou na masturbação, mas nunca para utilização no interior da vagina (principalmente em preservativos de látex). Risque definitivamente da sua lista a vaselina ou qualquer outro derivado de petróleo, pois estes dificultam o processo de limpeza e, consequentemente, propiciam infecções. Cremes hidratantes são desenvolvidos para serem absorvidos muito rapidamente pelas células do corpo; portanto, ressecam prematuramente durante sua utilização como lubrificante sexual, causando um aumento do atrito pela fricção que pode causar irritações e infecções; além disso, eles enfraquecem demasiadamente a resistência das camisinhas de látex, que chegam a estourar durante a relação. Para uso interno, dê preferência para os lubrificantes à base de água (desde que não contenham glicerina), ou lubrificantes à base de silicone. Os lubrificantes à base de água são fáceis de lavar, não obstruem os poros e não atacam as camisinhas de látex. Por serem à base de água, eles podem ressecar durante o uso, mas basta acrescentar algumas gotas de água ou mesmo saliva que eles voltam à sua consistência original. Já os lubrificantes à base de silicone não apresentam esse inconveniente, também são inócuos à saúde e são do mesmo tipo utilizado nas próprias camisinhas de látex que, já vêm lubrificadas de fábrica (embora eu acredite que essas camisinhas mesmo assim precisam de uma lubrificação extra). Como nem tudo pode ser perfeito, os lubrificantes de silicone não são recomendados para utilização direta sobre os acessórios sexuais, que também empregam silicone em sua composição, pois ao longo do tempo danificam esses brinquedinhos (a menos que você os proteja com camisinhas). Os géis contraceptivos são maravilhosos como lubrificantes.

BEN-WA E VIBRADOR

Com o vibrador (vibro) e o ben-wa (bolinhas) fazer os exercícios, se possível, pela manhã e à noite, três vezes com cada acessório. Os exercícios são muito simples e não tem como você esquecê-los. Os movimentos que você treinará com os acessórios serão os mesmos que exercitará durante o seu dia-a-dia.

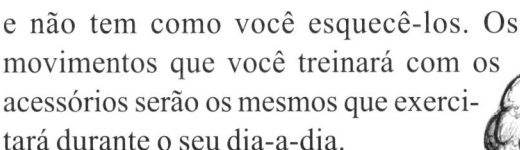

TREINAMENTO COM BEN-WA (BOLINHAS)

Introduza a primeira bolinha, em seguida tente "sugar" (puxar para dentro) a segunda. No começo você provavelmente não conseguirá sugá-la; coloque a com o auxílio do dedo.

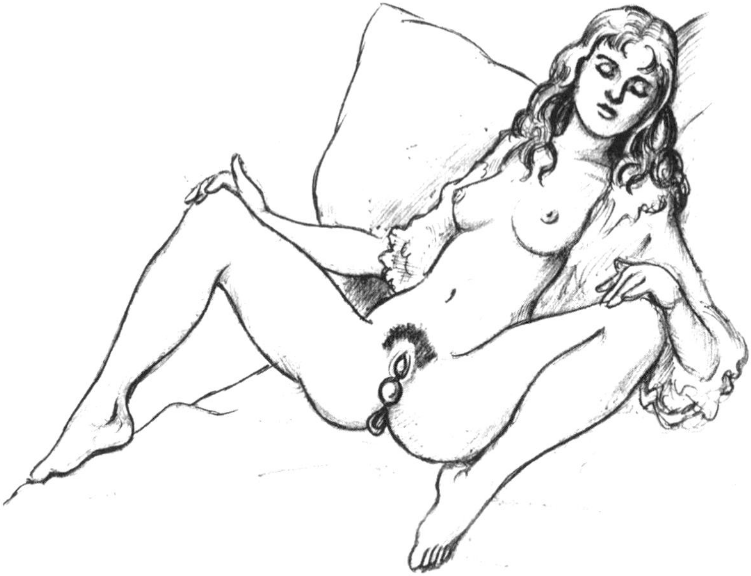

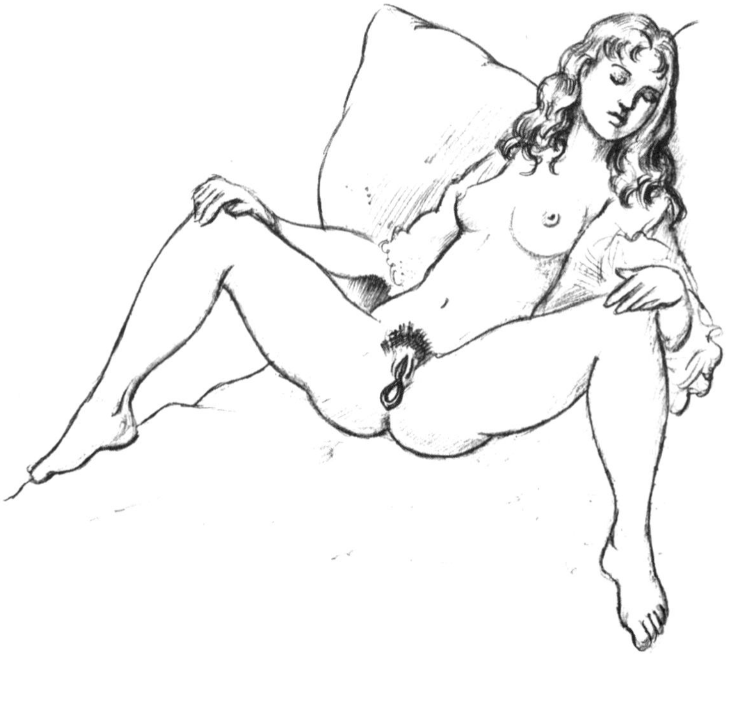

Então, comece a malhação com o ben-wa introduzido. Faça a "sequência de 1, 2, 3".

Com as bolinhas ainda dentro da vagina, aperte todo o feixe de anéis. Aperte e relaxe três vezes, a seguir, expulse-as, fazendo força para que elas saiam. Ao expulsar, a primeira bolinha sairá com facilidade; a segunda você não conseguirá no início, então, puxe a cordinha para que ela saia. Repita estes movimentos três vezes.

VIBRADOR

Lembre-se de que este acessório terá quatro utilidades para você:

1. Treinar o Pompoar.
2. Você mesma acompanhará o desenvolvimento de seu treinamento.
3. Você mesma fará o teste para saber se já domina a técnica.
4. Se você colocar pilha, ele vibrará e será possível fazer jogos amorosos. O vibrador ligado proporciona sensações magníficas.

Obs.: Para o treinamento, o vibrador deverá estar sem pilha.

TREINAMENTO COM O VIBRADOR

Os mesmos exercícios que você fará durante o dia (de contrações) e com o ben-wa (bolinhas) devem ser repetidos com o vibrador. Introduza até onde não incomodá-la. Fique com o dedo segurando; no início do treinamento, se você não segurar, ele vai escorregar.

Faça as contrações: 1, 2, 3 — aperta/relaxa — três vezes cada uma e expulse.

Repita três vezes esta sequência.
Introduza!
Faça a malhação e expulsão.

Acompanhando Seu Desenvolvimento

Quando você já estiver com uma semana de treinamento, pegue uma régua ou fita métrica e vá medindo a distância a que você consegue expulsar o vibrador. Verifique a quantos centímetros você está conseguindo expulsar. Certamente, cada vez você atingirá uma distância maior e, consequentemente, um desempenho melhor na arte do Pompoar.

Fazendo Teste

Para você ficar sabendo se já domina todos os anéis e se a musculatura está forte, fique em pé e com as pernas entreabertas introduza um pouco do vibro: agora, você terá que sugá-lo e expulsá-lo, sem deixar cair no chão.

Parece difícil... mas tenha certeza de que você conseguirá. Lembrando-se sempre do que foi dito no início: "Querer é Poder".

Atenção: Sugando e expulsando, sem deixar cair no chão.

Posições e Local para Treinamento

Você escolherá a melhor posição para o seu treinamento, podendo ser deitada, sentada, ajoelhada, em pé ou em qualquer outra posição em que se sentir confortável.

Escolha o local. No carro, na praia, no trabalho, andando, etc.

Não esqueça que estes locais servirão somente para o treinamento das contrações.

Movimentos

Preste atenção e desfrute dos maravilhosos "Jogos Amorosos" que o Pompoar pode proporcionar-lhe.

Sugar — Puxar o pênis para dentro da vagina, com ajuda dos músculos.

Revirginar — Contrair, com muita força, o músculo da entrada da vagina, a ponto de dificultar a penetração.

Ordenhar — Contrair individualmente os anéis circunvaginais, em forma sequencial, com força média. Provoca indescritível prazer ao casal.

Dedilhar — Imagine tocar um instrumento musical; os anéis vaginais se fecham alternadamente, como o dedilhar de um instrumento.

Massagear — Fazer uma massagem no pênis com a vagina, usando intensidade fraca, média e forte.

Algemar ou Agarrar — Contrair com intensa força a musculatura da vagina, impedindo a saída do pênis. Seria literalmente usar o termo "agarre seu homem".

Morder — Com este movimento a mulher consegue retardar o orgasmo masculino, apertando, com certa "força", não muito forte, o anel de entrada da vagina, com o pênis todo introduzido. A guilhotinada será bem próxima à glande.

Guilhotina — É uma "mordida" com força.

Expulsar — Quando a vagina expele o pênis (banana, uva italiana, pepino, etc.).

Chupitar — Sentir-se como um bebê quando mama, com a musculatura vaginal "sugando" o pênis. Provoca uma sensação superprazerosa.

Esses termos mencionados aqui são "jogos amorosos" que o "Pompoar" pode proporcionar. Durante a sua prática o casal não poderá estar em movimento, pois todas as brincadeiras só poderão ser feitas com ambos imobilizados. Somente a vagina estará fazendo os movimentos, provocando um prazer indescritível ao casal.

Não se preocupe em memorizar os movimentos, pois quando você tiver dominado a técnica do "Pompoar", todos eles se tornarão automáticos e será possível escolher o que for mais adequado para os dois.

Não se esqueça: Só faça os jogos amorosos com banana, uva, ovinhos de codorna, etc., quando realmente tiver certeza de que tem o total domínio do seu órgão.

COMENTÁRIOS FINAIS

Pronto! Vocês aprenderam a técnica, agora é somente treinar, treinar, treinar...

Em três meses você atingirá a excelência! A partir do momento em que alcançar seu objetivo, mantenha os agradáveis exercícios de manutenção por toda a vida.

EXERCÍCIOS DE MANUTENÇÃO

Continue as contrações do dia-a-dia. Nunca deixe de fazê-las, pois, além de sua musculatura ficar sempre firme, você manterá o domínio dos anéis. Com os acessórios, exercite no mínimo duas vezes por semana.

Atenção: As "Pompoaristas" são conhecidas como mulheres deliciosas, sexualmente falando. São as que mais proporcionam e sentem prazer.

MEU RECADO

Preocupei-me em passar para você, de forma clara e prática, a técnica do Pompoar. Aproveite ao máximo todos os ensinamentos para tornar sua vida e a de seu amor cada dia mais envolvente e seja muito feliz. Ao tornar-se uma Pompoarista, você poderá utilizar a simbologia mística antes de seu nome: Pp. = símbolo das Pompoaristas.

Um feliz e Pompoarístico futuro!

TERMOS E TÉCNICAS DA POMPOARISTA

Uma perfeita pompoarista (Pp.) pode utilizar sofisticadíssimas técnicas durante uma relação. Sem dúvida, esta arte do prazer é tão diversificada que pode ser enfeixada num "pequeno dicionário".

Adoçar os lábios — Deixar os lábios bem doces e utilizar o beijo simultaneamente com o "Pompoar".

Algemar — É o aprisionamento do pênis pela vagina, que o impede de sair.

Bate-estaca — É apertar repetida e fortemente o mesmo anel vaginal. Pode ser sequencial, quando, após bater muitas vezes no mesmo local, passa-se para o local vizinho. Pode ser alternado, desordenado, etc.

Braçadeira (ou abraçadeira) — É quando todos os anéis vaginais apertam simultaneamente o pênis, paralisando-o.

Chupitar ou Areia movediça (ou sucção) — É quando a musculatura vaginal vai puxando o pênis para dentro.

Dedilhar — Fechar alternadamente diferentes anéis vaginais, como quem toca um instrumento musical. Pode ser dedilhação fraca, média, forte, lenta, rápida, etc. Também se diz que é "mulher-serra".

Expulsão — É quando a vagina expele o pênis, vibrador, etc.

Fôrma de concreto — Quando a vagina, após o primeiro orgasmo, retém o pênis dentro dela até que ocorra novo enrijecimento.

Guilhotina — É a contração forte, logo abaixo da cabeça do pênis, por um anel vaginal.

Laçada — É a contração de qualquer parte do pênis por um dos anéis vaginais.

Ordenha — É o movimento da musculatura vaginal, repetida e ordenadamente, alternando os anéis vaginais, partindo desde o esfíncter vaginal até a proximidade do útero, ou seja, de fora para dentro, fazendo massagem, que pode ser fraca, média, forte, lenta, rápida, etc.

Quebra-nozes — Contrair e relaxar repetida e fortemente os músculos adutores, fora do coito, provocando atritos no clitóris, até atingir o orgasmo, sem utilização dos dedos ou de qualquer outro elemento externo.

Revirginar — Contração total do esfíncter e dos demais anéis vaginais, impedindo ou dificultando a penetração.

Tatuzão — É o pênis, quando precisa forçar e consegue entrar com dificuldade.

Torniquete — É uma laçada com muita força.

Túnel de metrô — É a vagina, quando libera totalmente a movimentação do pênis.

Túnel interrompido — É a vagina quando abre o esfíncter do primeiro anel e fecha os demais, permitindo a penetração apenas da cabeça do pênis.

IMPORTANTE

Órgão genital — Antes de iniciar a malhação (os exercícios do Pompoar), visite seu ginecologista para ver se está tudo em ordem. Caso esteja com algum problema, trate-o primeiro, para depois iniciar o treinamento.

Trompas e Útero — As mulheres que não têm esses órgãos, podem tranquilamente se tornarem Pompoaristas.

Gravidez — Caso queira fazer os exercícios durante a gestação, peça autorização ao seu ginecologista.

Menstruação — Nesse período, os exercícios com os acessórios não são necessários; somente as contrações devem ser feitas.

Virgens — Desde que sejam maiores de idade, podem participar do curso; quanto aos exercícios, somente as contrações, sem utilizar os acessórios.

Lubrificante — Para fazer os exercícios, é aconselhável um lubrificante à base de água. O KY, da Johnson&Jonhson, é uma boa opção, pois é facilmente encontrando em drogarias, mas você pode optar por qualquer outro que seja neutro e de sua confiança. Se preferir, peça indicação ao seu ginecologista.

Idade — Para o curso, somente é permitido a participação de pessoas maiores de 18 anos. Quanto às pessoas mais idosas, não existe problema algum em fazer os exercícios; pelo contrário, é muito bom para saúde e prazer sexual.

CURIOSIDADE

Segundo a lenda, algumas damas ocidentais desenvolveram suas próprias técnicas. Mesmo parecendo primitivas em alguns aspectos, chegam a ser igualmente engenhosas. Veja que criatividade.

Nos primeiros tempos da Revolução Industrial nos Estados Unidos, muitas jovens trabalhavam em fábricas de roupas. As horas demoravam muito a passar, o salário era miserável e as condições de trabalho eram horríveis. As moças operavam máquinas de costura que exigiam constante empuxo do pedal com um ou ambos os pés. Pouco a pouco, as jovens descobriram que movimentando o pedal de uma certa maneira, com as coxas unidas e algumas contrações, podiam atritar os pequenos lábios vulvares e massagear o clitóris. O que até então fora um trabalho penoso, tornou-se um prazer. As longas horas nas máquinas de costura eram suavizadas por esse novo divertimento. Começaram a ser semi-pompoaristas sem terem, no entanto, um conhecimento mais profundo do assunto.

Mas feliz ou infelizmente, as máquinas de tração humana foram substituídas por máquinas de tração elétrica, e o prazer desapareceu da indústria de roupas. Contudo, a introdução da eletricidade não trouxe apenas más notícias, pois abriu novos horizontes na área da masturbação.

E agora, além dos novos conhecimentos sobre autoprazer, as mulheres estão, cada vez mais, tendo acesso a informações sobre os inúmeros jogos amorosos e técnicas de sensualidade e sexualidade, inclusive o Pompoar que hoje, em todo o Ocidente, está sendo cada vez mais conhecido, praticado e adorado.

Capítulo 8

MEDOS E DÚVIDAS

Um dia, um terapeuta...
    Isso mesmo: Terapeuta! Já fui a alguns, todos ótimos!!! Este em especial me disse um dia: "— Medo é ignorância". Fiquei espantada, pois eu o havia procurado exatamente porque estava com "medo" de uma situação que estava me ocorrendo naquela época. Pois é, recebi essa resposta. Mas, se pararmos para avaliar, realmente ele tem razão: temos tantos medos... que não têm explicação.
    Por exemplo: medo de algo que ainda não aconteceu e nem sabemos se realmente vai acontecer. Medo daquele chefe, medo de o marido não aprovar nossas atitudes, medo de falar!!!
    Enfim, são tantos medos!!!
    Na realidade, hoje acredito que não devemos ter medo de nada, pois somos capazes de resolver tudo o

que de fato queremos. E aqui ressalto novamente a importância do "Querer é Poder".

Diante dos seus medos e dúvidas, tenha a atitude de querer resolver e tudo se resolverá, da melhor maneira possível, esteja certa disso. Principalmente, não tenha medo de ser feliz, seja muito, mas muito feliz e lembre-se: "medo é ignorância...".

Capítulo 9

DEPOIMENTOS

Todos os depoimentos que ouvi até hoje foram muito interessantes. Mas, entre eles, há um que me emocionou. Foi o de uma aluna, que morava muito longe daqui. Seu nome???? Não importa, o que importa é o fato ocorrido.

POMPOAR NA SAÚDE

No final de minhas aulas, tenho como hábito perguntar às alunas se têm alguma dúvida. Um dia, uma delas me disse que havia viajado 450 quilômetros para assistir ao meu curso e para me agradecer. Fiquei olhando com certo espanto, pois nunca a tinha visto. Foi emocionante quando ela disse: "Eu assisti a um programa de televisão em que você deu uma pequena dica e comecei a praticar o que você havia ensinado. Eu urinava de cinco a seis vezes por noite, comecei a treinar e hoje, com 24 dias de treinamento, eu só vou urinar uma vez por noite".

Nossa!!! Fiquei imensamente feliz. Pedi então à turma que aplaudisse nossa amiga, pois o esforço e a dedicação foram dela, que certamente mereceu esse resultado.

USANDO A CRIATIVIDADE COM O POMPOAR

Outro relato que me marcou muito foi o de uma aluna que me procurou no intervalo para conversar e contou-me que o marido nunca vinha cedo para casa e que ela sentia muita falta dele. De carinho, diálogo, até mesmo de sexo. É um pouco difícil para mim, pois quero poder ajudar todas, mas existem casos que são complicados e, na verdade, não cabe a mim dar opiniões. É uma responsabilidade enorme, pois, além de serem vidas, acredito que jamais devemos interferir porque, caso não dê o resultado esperado, a culpa será também da pessoa que orientou, então, conversamos de tudo um pouco. Ótimo, acabou o curso, passaram-se alguns dias e ela telefonou muito feliz, pois havia arrumado uma forma de trazer o marido mais cedo para casa e imaginem só como: eu sempre digo que os treinamentos são bem pessoais, que ninguém precisa estar presenciando, mas ela disse ao marido que havia feito o curso comigo e eu determinei que ele deveria ajudá-la nos treinamentos diários!!!! Enfim, ele ficou interessado e começou a vir todos os dias mais cedo. É claro que treinamento mesmo, que é bom... nada!!! Brincadeira!!! Ela se tornou uma grande Pompoarista e com o auxílio do marido. Uma criatividade fantástica: conseguiu uma maneira especial de trazê-lo mais cedo e, consequentemente, de os dois se curtirem muito.

Eu fiquei superfeliz, mas o mérito foi todo dela!

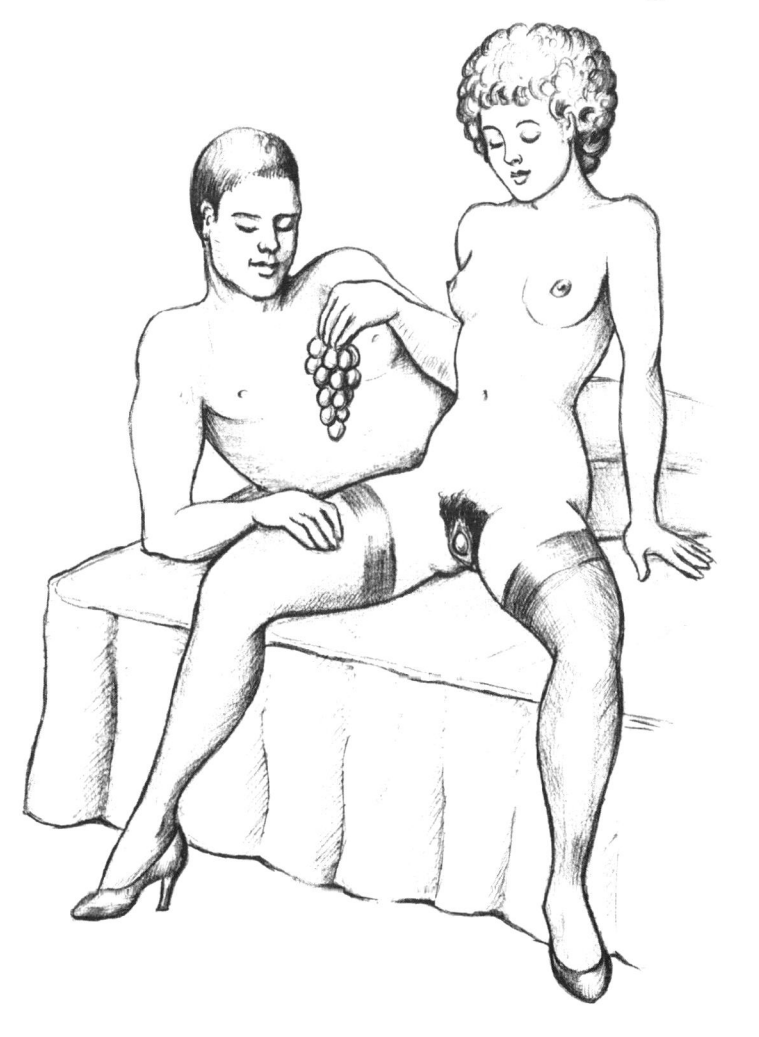

SUPERANDO COM O POMPOAR

Esta aluna tinha um marido que adorava sexo oral, e estava sempre inventando novas formas de incrementá-lo, com champanhe, mel, *chantilly*, enfim, com muita criatividade. Um dia, ele estava um pouco estressado, talvez, e caiu na infelicidade de dizer que ela não tinha muita criatividade, pois só ele que inventava novas maneiras de transar. Ela então resolveu fazer o curso de Pompoar, passaram-se alguns meses, e quem ficou surpreendido foi o marido. Ela começou a servir-lhe uvas italianas e ovos de codorna pomporizados e, com seu órgão genital, deixou-o tão alucinado que com certeza nunca mais ele teve motivo para repetir aquela frase tão marcante.

Pense bem!!! A criatividade é um fator muito importante no relacionamento; então, seja criativo(a), surpreendendo sempre um ao outro. A aluna acima, por exemplo, em vez de ficar triste, magoada com o que o marido lhe disse, fez o contrário, foi à luta e o surpreendeu. Foi ótimo para ambos.

Falando em criatividade, após muitos anos ministrando somente cursos de Pompoar, resolvi atender à solicitação de várias mulheres. Agora, além do Pompoar, emsino Técnicas de Massagem Sensual Tailandesa e o tão desejado *strip-tease*; dando sequencia a essas inovações, organizo "despedidas de solteira, nas quais apresento brincadeiras sensuais que oferecem à noiva e suas convidadas dicas incríveis sobre essas técnicas.

Mas... este é um tema para o meu próximo livro.

Aguardem, brevemente vocês saberão mais sobre essas técnicas maravilhosas...

Até lá!

Capítulo 10

DICAS SENSUAIS PARA ELE E PARA ELA

DEZ DICAS PARA A MULHER FAZER NO HOMEM

1 — ENFERMEIRA SENSUAL. Telefone para ele durante o expediente, diga-lhe que percebeu que ele não estava muito bem de saúde naquele dia e que você está preocupada. Repita a ligação mais duas vezes. À noite, aguarde-o, vestida de enfermeira sensual ou mesmo toda de branco; quando ele chegar, acomode-o na cama, dê-lhe uma aspirina (bala de goma) com água e trate-o como o "doentinho" da enfermeira *sexy*. E depois use sua criatividade para examinar com sensualidade o seu "doentinho".

2 — PRISIONEIRO DO SEU AMOR. Amarre o homem na cama com algemas ou lenços, prenda os braços e as pernas dele, faça carícias, instigue-o até que ele implore para ficar livre. A brincadeira ficará ainda mais sensual se você vendá-lo e temperar com sons e palavras deliciosas.

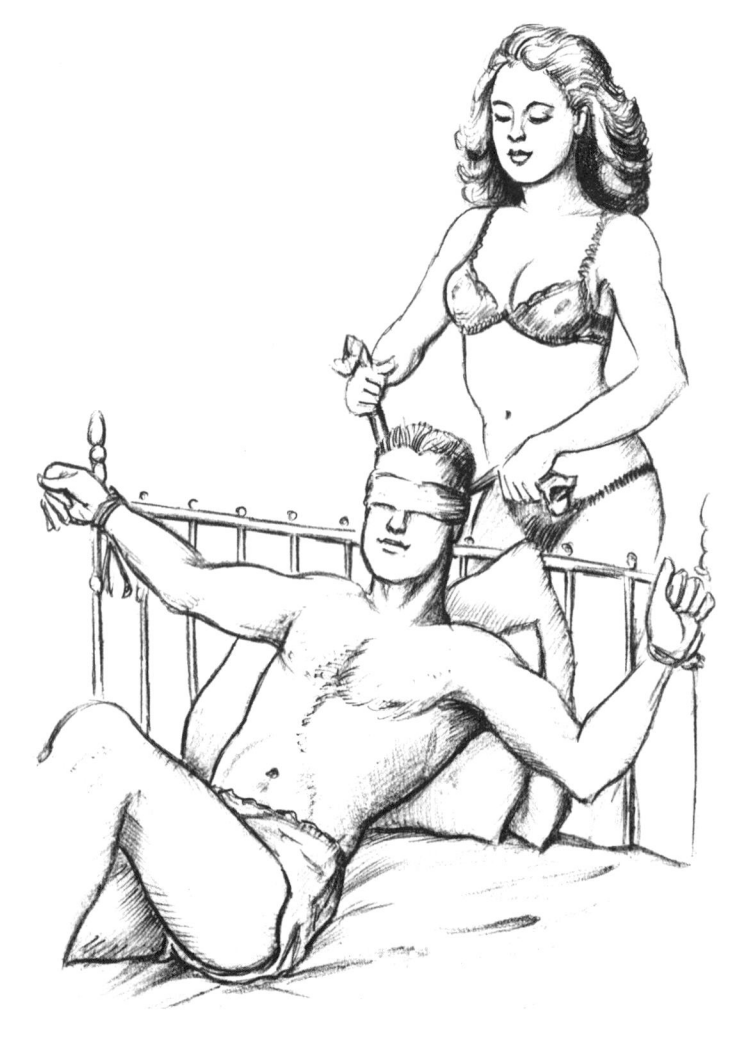

3 — ACARICIE SEU HOMEM com muitos beijinhos, que devem começar pelos pés, passar próximos do pênis, chegar até as orelhas; não esqueça de passar pelos mamilos, depois volte (desça) fazendo o mesmo e só aí faça sexo oral.

4 — SEM CALCINHA. Quando saírem de casa para jantar, ir a uma festa ou até mesmo para fazer compras, vá sem calcinha. No meio do caminho, faça-o perceber colocando a mão dele discretamente sobre o seu bumbum. Será sensacional!

5 — PEDÁGIO ERÓTICO. Distribua pela casa bilhetinhos românticos e ao mesmo tempo sensuais, encaminhando-o depois de vários "pedágios" (exemplo: numa das dicas, peça-lhe que tire uma peça de roupa, deixe um *drink* preparado na geladeira, etc.) para o quarto. Aguarde-o completamente nua, sobre a cama, ao som de uma boa música e sob a luz de velas.

6 — CARA OU COROA. Faça do jogo da moeda (cara ou coroa) um jogo de prazer. Escolha uma das faces e quem perder é obrigado a obedecer a quem ganhar. Será divertido e muito prazeroso ao mesmo tempo.

7 — AMOR DE MADRUGADA. Numa madrugada em que no dia anterior ele tenha se cansado bastante, faça sexo oral nele enquanto ainda estiver dormindo. Ele não saberá ao certo o que está acontecendo e despertará com uma grande surpresa.

8 — RAPIDINHA. Façam amor no estilo "rapidinha" com uma sensação de que vai aparecer alguém. É sensacional!

9 — GAROTA DE PROGRAMA. Vista-se como uma garota de programa, combine com ele para deixá-la numa esquina não muito movimentada, dar uma volta com o carro, depois parar e contratar os seus "serviços". Dirijam-se a um motel barato e façam amor intensamente, evitando beijá-lo nos lábios, pois a grande maioria das garotas de programa não beija na boca. Você até pode cobrar, e cobre caro!

10 — MORANGO COM *CHANTILLY*. A sensualidade está diretamente ligada ao cinco sentidos. Então, explore-os. Utilizando o paladar, cubra-se de morango com *chantilly* e peça ao seu homem para "limpá-la" sem utilizar as mãos. Será inesquecível e muito saboroso.

DEZ DICAS PARA O HOMEM FAZER NA MULHER

1 — Programe uma passeio a um hotel-fazenda, de preferência onde haja muito verde, lago... Escolha um dia não muito movimentado por hóspedes. No momento oportuno, quando estiverem à sós na beira do lago, prepare uma cama (toalhas ou folhas secas), deite sua amada, beije-a, acaricie seu cabelo e rosto, diga-lhe frases sensuais e, aos poucos, vá tirando sua roupa demoradamente. Façam amor ali, ao sabor do vento. É inesquecível!

2 — Busque-a no trabalho no fim do expediente (se você já tem este costume, busque-a na hora do almoço), avise seu chefe que voltará um pouco mais tarde e tome outro rumo que não seja

a casa de vocês: leve-a a um motel. No caminho, excite-a com movimentos intensos e ao mesmo tempo carinhosos. E depois expresse o quanto você gostou do momento e o quanto ela é maravilhosa!

3 — Surpreenda sua amada! Ao chegar do trabalho, agarre-a de surpresa, mesmo estando suado, beije-a ardentemente e leve-a para a sala, tire a roupa dela e depois a sua e façam amor ali mesmo. Deixe no ar que você a deseja ardentemente!

4 — Num local onde haja privacidade, faça um banquete tropical. Deite sua amada sobre uma toalha e espalhe sobre o corpo dela pedacinhos de frutas misturados a mel. Ela deverá ficar imóvel, enquanto você vai saboreando cada pedaço de seu corpo. Esta é uma excelente entrada para o banquete principal.

5 — De madrugada, acaricie suavemente o corpo de sua amada, acordando-a lentamente. Beije-a nas costas e na nuca, de acordo com a posição que estiver deitada, e, prazerosamente, masturbe-a até que atinja o orgasmo e só então penetre-a da melhor maneira.

6 — Peça à sua amada que se vista de maneira bem sensual. Em casa mesmo, coloque uma música a seu gosto, ofereça-lhe um vinho e convide-a para dançar. Com movimentos provocantes, deixe-a bastante excitada e peça-lhe que sente no sofá ou numa cadeira, abra as pernas e, com a língua, vá diretamente a sua vagina, fazendo movimentos de entra-e-sai e explorando toda a região. Faça com que ela atinja o orgasmo desta forma. Será maravilhoso!

7 — Combinem um encontro num restaurante ou num bar e quando chegarem finjam não se conhecerem. Comece a paquerá-la como da primeira vez. Convide-a para sentar-se à sua mesa, ofereça-lhe uma bebida, faça o jogo de "conquistador barato" e, indiscretamente, convide-a para irem a

um motel. Pague a conta e vá ao encontro do prazer, possuindo-a como se fosse a primeira vez!

8 — Inesperadamente, ligue para ela mesmo durante o expediente e diga-lhe o quanto foi maravilhoso tê-la nos braços. Não esqueça de relatar, se possível, cada detalhe de sua fantasia ou da última vez em que fizeram amor, fazendo sons e gemidos; ela ficará extremamente excitada e, com toda certeza, você será recompensado.

9 — Faça apostas com sua amada; você pode utilizar jogo de xadrez, cartas, dominó e o prêmio será algo muito sensual, à escolha do ganhador, que deverá ser realizado pelo perdedor em, no máximo, cinco minutos. Confira!

10 — Vá a uma "Sex shop" e compre um acessório, como vibrador, algemas, óleos que esquentam, lubrificantes, estimulantes, presenteie sua amada e façam amor utilizando o acessório. É fantástico!

DEPOIMENTOS MÉDICOS

"Há muito indico o Pompoar às mulheres que acabam de ter um parto normal. Trata-se de uma técnica que aumenta a tonicidade da musculatura pélvica, o que pode trazer benefícios inestimáveis à paciente.

O Pompoarismo pode contribuir para a qualidade de vida de mulheres que tenham incontinência urinária; diminuição do prazer sexual por causa do alargamento vaginal decorrente de partos normais ou da própria idade. Vale também, claro, para as que simplesmente desejam um 'algo mais' no relacionamento com seu companheiro.

Claro que uma técnica milenar não se aprende facilmente, do dia para a noite. Dedicação e treino são fundamentais, somados à orientação que só uma especialista como a professora Stella Alves sabe dar com brilhantismo."

José Bento de Souza
Ginecologista

O início do terceiro milênio parece marcado por uma necessidade de voltar os olhos ao passado e resgatar toda a cultura milenar que nos possibilita saúde e felicidade de forma natural, em oposição à alta tecnologia imperante no momento. Nesse cenário surge o Pompoar, milenar técnica oriental, que permite à mulher ser e fazer seu parceiro infinitamente feliz no sexo, que é — como sabemos — a principal base de sustentação de todos os relacionamentos.

Baseado no domínio dos músculos do assoalho pélvico, o Pompoar não só proporciona mais prazer sexual, como também previne problemas muito comuns como queda de bexiga, útero, reto, etc., consequentes de partos e da própria idade que, quando instalados, precisam de tratamentos rígidos. Acredito que o Pompoar, assim como qualquer outra técnica que possibilita prevenção, além de proporcionar satisfação e felicidade, deve ser amplamente definido e praticado, nisso Stella Alves desponta como um dos mais qualificados profissionais do nosso meio.

Dr. Elias F. Koo Monroy
Médico-cirurgião

*Como escrevi no início, "espero que você, mulher, se torne grande pompoarista, e você, homem, a incentive
pois será o grande beneficiado".
Desejo que vocês sejam muito felizes, tenham muita paz, aproveitando da melhor forma esta fantástica
técnica — o "Pompoarismo".*

Com carinho,
Pp. Stella Alves.

Visite nosso site www.pompoarismo.com.br e conheça também:
• O curso "Os Segredos da Sedução" (Massagem Sensual, Tailandesa e *Strip-tease*)!
• Despedida de Solteira, Aniversário Sensual!
• Dicas interessantes!
• Contos eróticos e muito mais......

Fone/fax : (11) 2455-6800 ou (11) 8315-9733
e-mail: stellaalves@pompoarismo.com.br
          stellaalves@uol.com.br
Caixa Postal: 1007
Cep: 07051-970 — Guarulhos/SP

Nota do Editor

A Madras Editora não participa, endossa ou tem qualquer autoridade ou responsabilidade no que diz respeito a transações particulares de negócio entre o autor e o público.

Quaisquer referências de internet contidas neste trabalho são as atuais, no momento de sua publicação, mas o editor não pode garantir que a localização específica será mantida.

POMPOAR

BIBLIOGRAFIA CIENTÍFICA

ARNOLD H. KEGEL. Ann. West. Med. & Surg. 2:213-216, May 1945.

———. Progressive Resistance Exercise in the Functional Restoration of the Perineal Muscle. American Journal of Obstretrics & Gynecology — vol. 56, n° 2, pgs. 238-248, Aug. 1948.

———. The Physiologic Treatment of Poor Tone and Function of the Genital and Urinary Stress Incontinence. Western Journal of Surgery for Obstetrics and Gynecology (W. J. of S., O. & G.) Nov. 1949, 57; 527-535.

———. Physiologic Thepary for Urinary Stress Incontinence. Journal of American Medical Association (J.A.M.A.) 146: 915-917. July, 1951.

———. Sexual Functions of Pubococcygeus Muscle. West. J. Surg., 60:521-524, Oct. 1952.

———. Stress Incontinence of Urine in Women: physiologic

Treatment. Journal of the International College of Surgeons. April 1956.

———. Early Genital Relaxation; New Tecnic of Diagnosis and Nonsurgical Treatment. Obstretrics & Gynecology, 8:545-550, Nov. 1956.

———. Stress Incontinence of Urine in Women: Physiologic Treatment. J. Intern. Coll. Surgeons 25: 487-499, April 1956.

ARNOLD H. KEGEL & TRACY O. POWELL. The Physiologic Treatment of Urinary Stress Incontinence. The Journal of Urology, vol. 63, n° 5, May 1950.

ARNOLD H. KEGEL & E. G. JONES. Treatment of Urinary Stress Incontinence with Results in 117 Pacients Treated by Active Exercise og Pubococcygei. Gynec. & Obst. 94: 179-188, Feb. 1952.

MADELYN RENÉE MESSÉ & JAMES H. GEER. Voluntary Vaginal Musculature Contractions as an Enhancer of Sexual Arousal. Archives os Sexual Behavior, vol. 14, n° 1, 1985.

OBS.: Esses artigos e muitos outros indicados por suas bibliografias podem ser encontrados em bibliotecas médicas, como a BIREME, anexa à Faculdade Federal de Medicina/São Paulo.

POMPOAR

BIBLIOGRAFIA: OBRAS IMPORTANTES

Britton, Bryce & Dumont, Belinda. *El músculo del amor*. Ediciones Martinez Roca. Barcelona, 1983.
Heaner, Martica K. *The 7 minutes Sex Secret*. Coronel Books, Hoddcr&Stougton. Londres, 1995.
Malla, Kalyana. *Ananga Ranga*. 1988.
Nefzaui, xeique. *O Jardim Perfumado*. São Paulo, 1996.
Ramsdale, David & Ellen. *Los secretos de la sexualidad total*. Intermédio Editores/RobinBook. Bogotá, 1993.
Vatsyayana. *Kama Sutra*. Plaza 8 janés. Barcelona, 1974.

OBRAS DE REFERÊNCIA, COM VERBETE POMPOAR E DERIVADOS

Dicionário da Vida Sexual – Nova Cultural (com a grafia *pompoir*).

Michaelis Moderno Dicionário da Língua Portuguesa – Melhoramentos, 1998.

O POMPOARISMO NA LITERATURA E NA ARTE

1. *Kama Sutra,* do sábio Vatsyayana — tratado indiano, com mais de 1.500 anos de idade, elogia as pomporistas.

2. Sir Richard Francis Burton traduziu o *Kama Sutra* para o inglês (1883) e elogiou pompoaristas em outros livros. Sua biografia, por Edward Rice, foi publicada pela Companhia das Letras e sugere que Burton baseou-se em conhecimento pessoal para elogiar pompoaristas. Aventureiro, espião, poliglota (falava 29 idiomas), militar, tradutor dos *Lusíadas,* de José de Alencar, do Jardim Perfumado do xeque Nefzawi e de As Mil e Uma Noites, escritor viajante incansável, inclusive pelo Brasil, cônsul em Santos etc.

3. Ananga Ranga, trata de pompoarismo.

4. Shakespeare elogiou pompoaristas.

5. Jorge Amado elogia pompoaristas inclusive no *A Descoberta da América pelos Turcos*. Decl.

6. Carybé fez uma ilustração que tem uma pompoarista, que diz "Ter um anjo dentro dela".

7. Frederick Forsyth apresenta a incompleta pompoarista Leila Al-Hilla no "Punho de Deus".

Leitura Recomendada

Livro de Bolso do Kama Sutra
Segredos Eróticos para Amantes Modernos

Nicole Bailey

Nicole Bailey, escritora especialista em saúde, psicologia e relacionamentos, inspirou-se nos textos dos clássicos orientais Kama Sutra, Ananga Ranga e O Jardim Perfumado, para reunir nesta obra os mais potentes ingredientes do erotismo oriental e oferecer aos amantes modernos dicas para fazer do sexo uma experiência completa de prazer e sensualidade para todo o corpo. São 52 posições excitantes para aquecer suas relações!

www.madras.com.br

Leitura Recomendada

Sexo Fantástico em 28 Dias

Uma Transformação Completa na Vida Sexual

Anne Hooper

Estar fora de forma e acima do peso não significa necessariamente que seu desejo sexual deva ficar alterado. Em Sexo Fantástico em 28 Dias você aprenderá a mesclar dieta e apetite sexual e ficará surpreso com os resultados obtidos dia a dia com as dicas de Anne Hooper, a terapeuta sexual mais vendida no mundo!

Erotismo de bolso

os segredos para o êxtase com a massagem sensual

Nicole Bailey

Vibre com os três níveis de êxtase – quente, muito quente e picante Quente... Desperte seu corpo com técnicas que o fará querer mais. Muito quente... Mergulhe fundo para descobrir as zonas certas de prazer para aumentar o calor.

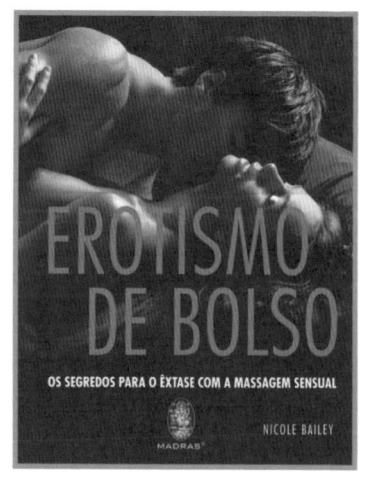

www.madras.com.br

Leitura Recomendada

69 FORMAS DE SATISFAZER SEU PARCEIRO
Segredos Sexuais para um Prazer Máximo

Nicole Bailey

O livro 69 Formas de Satisfazer seu Parceiro trata de sensações físicas puras, ousadas e deliciosas, com dicas quentes para apimentar sua vida amorosa e fazer o coração de seu parceiro ou de sua parceira acelerar de desejo.

O PEQUENO LIVRO DO KAMA SUTRA
Ann Summers

Eis o guia sexual de Ann Summers para o clássico Kama Sutra. Você verá novas e eróticas posições sexuais, além de dicas para prolongar o prazer. Este Pequeno Livro do Kama Sutra é recheado de fotos coloridas provocantes e quentes!

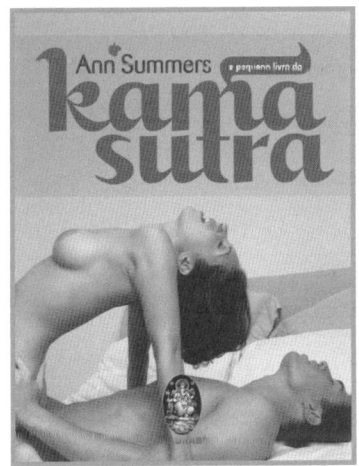

www.madras.com.br

Leitura Recomendada

O Kama Sutra
A Essência Erótica da Índia

Bret Norton

O Kama Sutra mostra que o maior prazer que pode ser experimentado pelo corpo humano é produzido pelo contato, pela ligação e fricção dos órgãos genitais, o masculino Lingam e o feminino Yoni.

Kaula Tantra
A Arte do Ritual e da Magia

Tarananda Sati

Este é um estudo introdutório para aqueles que querem conhecer o verdadeiro Tantra — em conformidade com as Tradições Kaula.
O Tantra é uma ciência e um caminho espiritual complexo, e para a sua compreensão é necessária uma visão profunda de sua alquimia, metafísica e teologia, sem os quais a descrição de seus rituais secretos se confundirão com a milenar arte do sexo prazeroso.

www.madras.com.br

MADRAS® Editora — CADASTRO/MALA DIRETA

Envie este cadastro preenchido e passará a receber informações dos nossos lançamentos, nas áreas que determinar.

Nome _____
RG _____ CPF _____
Endereço Residencial _____
Bairro _____ Cidade _____ Estado _____
CEP _____ Fone _____
E-mail _____
Sexo ❏ Fem. ❏ Masc.   Nascimento _____
Profissão _____ Escolaridade (Nível/Curso) _____

Você compra livros:
❏ livrarias   ❏ feiras   ❏ telefone   ❏ Sedex livro (reembolso postal mais rápido)
❏ outros: _____

Quais os tipos de literatura que você lê:
❏ Jurídicos   ❏ Pedagogia   ❏ Business   ❏ Romances/espíritas
❏ Esoterismo ❏ Psicologia   ❏ Saúde   ❏ Espíritas/doutrinas
❏ Bruxaria   ❏ Autoajuda   ❏ Maçonaria   ❏ Outros:

Qual a sua opinião a respeito desta obra? _____

_____

Indique amigos que gostariam de receber MALA DIRETA:
Nome _____
Endereço Residencial _____
Bairro _____ Cidade _____ CEP _____

Nome do livro adquirido: ***Pompoar — A Arte de Amar***

Para receber catálogos, lista de preços e outras informações, escreva para:

MADRAS EDITORA LTDA.
Rua Paulo Gonçalves, 88 – Santana – 02403-020 – São Paulo/SP
Caixa Postal 12183 – CEP 02013-970 – SP
Tel.: (11) 2281-5555 – Fax.:(11) 2959-3090
www.madras.com.br

MADRAS®
Editora

Para mais informações sobre a Madras Editora, sua história no mercado editorial e seu catálogo de títulos publicados:

Entre e cadastre-se no site:

www.madras.com.br

Para mensagens, parcerias, sugestões e dúvidas, mande-nos um e-mail:

marketing@madras.com.br

SAIBA MAIS

Saiba mais sobre nossos lançamentos, autores e eventos seguindo-nos no facebook e twitter:

@madrased

/madraseditora